城南舊事

城南舊事

林◆海◆音◆作◆品◆集

文／林海音

遊目族

目錄

〈總序〉

超越悲歡的童年

齊邦媛

在新的千年開始時，遊目族文化事業公司出版《林海音作品集》是一件極有魄力且影響深遠的文壇盛事。新版聚攏了已開始散失的作品，給它們注入新生命，使新世代的讀者可以看到上一代的文采風貌，也給已逝的世紀保住了珍貴的文獻。林海音的身世背景、生長過程和豐盛的文學生涯見證了二十世紀台灣的省籍融合和文學胸襟的開拓。她個人在大陸的生長經驗和對台灣本土作家的發掘與鼓勵，對台灣文壇有極大貢獻，也具有難於超越的代表性。

海音在三十七年由北平回到光復後的台灣。當那艘船駛入青山環繞的基隆港時，她的心中必有一種強烈的感動，因爲她回到父母生長的故鄉來了。她在《綠藻與鹹蛋》小說集的序裡說：「幾乎是從上了岸起，我就先找報紙雜誌看，先弄個破書桌開始寫作。」在這個書桌上開始了一個文人最豐富的一生。她不僅寫下了多篇必能傳世的小說和散文；也曾成功地主編聯合報副刊十年，提升了文藝副刊的水準與地位；更進而自己創辦純文學出版社，發掘、鼓勵了無數的青年作家。

林海音作品中所呈現的是一個安定的、正常的、政治不掛帥的社會心態。她的小說集《城南舊事》、《燭芯》和《婚姻的故事》中，多篇是追憶她童年居住北平城南的景色和人物。其中如〈惠安館〉和〈驢打滾兒〉等篇，雖是透過童稚的眼睛看大人的世界，卻更啓人深思。由於孩子不詮釋、不評判，故事中的人物能以自然、眞實的面貌出現，扮演他們自己喜怒哀樂的一生。〈金鯉魚的百襉裙〉和〈燭〉進一層探討女子在不合理的婚姻中抑鬱終生的悲劇。她的長篇小說《曉雲》寫的是台灣的一個自主自立的現代女子，「暗中摸索」人生與愛情。作者常用近似意識流的自敘法和象徵性手法，故事的發展和她內心的困惑有平衡的交代。文字風格的超逸，給全書抒情詩的情調。曉雲的處境引起的同情反而多於道德的評判了。

在《城南舊事》裡，〈惠安館〉、〈我們看海去〉、〈蘭姨娘〉和〈驢打滾兒〉四篇都可以單獨存在，它們都自有完整的世界。但是加上了前面兩篇和後面兩篇，全書應作一本長篇小說看。作者自己在〈冬陽．童年．駱駝隊〉一文中即說：「收集在這裡的幾篇故事，是有連貫性的。」讀完全書後，我們看出不僅全書故事有連貫性，時間、空間、人物的造型、敘述的風格全都有連貫性。

貫穿全書的中心人物是英子。時間是民國十二年開始。英子由一個七歲的小女孩長大到十三歲。書中故事的發展循著英子的觀點轉變。故事雖是全書骨骼，她的觀察卻給它血肉。英子原是個懵懂好奇的旁觀者，觀看著成人世界的悲歡離合，直到爸爸病故，她的童年隨之結束，她的旁觀者身分也至此結束，在十三歲的年紀「開始負起了不是小孩子該負的責任」。人生的段落切割得如此倉卒，更襯托出無憂無慮的童年歡樂的短暫可貴。但是童年是不易寫的主題。由於兒童對人生認識有限，童年的回憶容易陷入情感豐富而內容貧乏的困境。林海音能夠成功地寫下她的童年且使之永恆，是由於她選材和敘述有極高的契合。

偌大的北平城，跨越了極深廣的時空的古城，在一個孩子的印象裡卻只展示了它親切的一角——城南的一些街巷，不是舊日京華的遺跡，卻是生生不息的現實生活，活得熱熱鬧鬧的。英子的家已經有了四個妹妹和兩個弟弟，胡同口還有「惠安館」中的瘋姑娘和苦命的妞兒。她們傳奇性的結局是故事，但是卻不是陰黯的故事。作者將英子眼中的城南風光均勻地穿插在敘述之間，給全書一種詩意。讀後的整體印象中，好似那座城和那個時代扮演著比人物更重的角色。不是冷峻的歷史角色，而是一種親切的、包容的角色。《城南舊事》若脫離了這樣的時空觀念，就無法留下永恆的價值了。讀者第一遍也許只看故事，再回頭看看，會發現字裡行間另有繫人心處。林海音的文筆最擅寫動作和聲音，而她又從不濫用渲染，不多用長句，淡淡幾筆，情景立現。因此看似簡單的回憶，卻能深深地感動人。有了這樣的核心，這些童年的舊事可以移植到其他非特定的時空裡去，成爲許多人共同的回憶。

《城南》一書中人物除了英子的雙親之外，與她童年歡樂的記憶有最密切關聯的要算宋媽了。在各篇中宋媽可說是無處不在，無疑地也是讀者印象中最難忘的人物。這位命運悽苦的卑微人物，在英子的回憶中自有她的智慧和尊嚴。作者在講別人的故事時常會插上一段描寫宋媽的文字。這些片段連綴起來合成一幅鮮明的畫像——不僅是宋媽的畫像，也可說是那個時代北方鄉村婦女的典型了。她被生活所迫，來到英子家中幫傭，但是主僕關係之外漸漸發展出一種朋友的關係。她不僅直接分享這家人的喜怒哀樂、生老病死，也常常是英子的人生課程的啓蒙師。她淳樸簡單的智慧時時是童騃的英子與現實世界的一座穩妥可靠的橋。

林海音在台灣開始寫作的年代（民國四十年前後），西方文學批評理論還沒有影響中國作家。至少像結構主義等還沒有今日響亮。但是成功的作品自有它完整的結構，讓錯綜複雜的人際關係各就其位，整體綜合再顯現出全篇的主題。〈驢打滾兒〉就是個很好的例子。在表面上它幾乎沒有緊湊的情節。但是在這個九歲的女孩——英子眼中看到的小世界後面卻是一個悲慘的大世界。從頭到尾作者不曾逾越這個孩子有限的觀察。她的天地幾乎是局限在五十年前北平城裡的一個四合院裡，院子裡住著的是她和樂溫飽的一家人。家就該是這個樣子，她弟弟的奶媽——宋媽是個會講鄉村故事、會納布鞋底子、會抱著她妹妹唱兒歌：「雞蛋雞蛋殼殼兒，裡頭坐個哥哥兒……」的人，與她們生活息息相關。英子看不到，也想像不到宋媽夫離子散的家庭，更不用提人生更多悲悽割捨了。她只知道宋媽爲了「一個月四塊錢，兩副銀首飾，四季衣裳，一床新鋪蓋」到她家幫傭，一做四年。宋媽和她那「黃板兒牙」的丈夫那時大約都不到三十歲，卻給人一種蒼老的感覺。每次這個男人牽著驢來的時候，故事的發展就升高一層。這匹愚鈍固執的牲口成了貫穿全局的象徵。四年前宋媽剛來時，這頭驢首次出現，然後每年來兩次，都被拴在院子裡，「滿地打滾兒，爸爸種的花草，又要被蹧踐了。」

驢子每次的出現不僅是作情節的聯繫，也襯托乃至增強了人物的造型。宋媽的丈夫又來的時候，終於說出了家中眞相——宋媽日夜掛念的兒子小拴子早已在河裡淹死了。那個出生連名字都沒有的「丫頭」，在抱離母懷當天，還沒出城門就送給了不相識的人！當宋媽悲泣時，這頭驢子在吃乾草，「鼻子一抽一抽的，大黃牙齒露著。怪不得，奶媽的丈夫像誰來看，原來是牠！宋媽爲什麼嫁給黃板兒牙，這蠢驢！」很明顯的，在小孩的眼中，驢與宋媽的丈夫的形象已經合而爲一。這個典型的「沒有出息」的失敗者與他的驢是分不開的。他每次來都趕著驢穿過幾十里的黃土地，藍布的半截褂子上蒙了一層黃土。這黃土是北方乾旱的原野上長年吹著的風沙，是大自然的勝利的見證，也是質樸愚騃的農民終歲勞苦奔波於生計的場所。

如果不穿透作者故意佈下的童稚的迷茫，〈驢打滾兒〉似乎有些詩意的情調。這篇城南舊事和許多童年美好的回憶一樣，已在遙隔的時空裡濾掉了許多愁苦，只剩下笑淚難分的懷念。只是宋媽和與她命運相同的女子不允許我們忽視現實。不僅那黃板兒牙的男人和驢子滿身塵沙，作爲故事題目〈驢打滾兒〉的小點心也是帶著卑微但卻親切色彩的鄉下食物，用世代相傳的土法蒸的黃褐色的小圓餅，在綠豆粉裡滾一滾，也就是塵土色了。宋媽把英子帶出她舒適的小院子去找尋丫頭子。在古城塵土覆蓋的街巷中走著，吃幾個這種塵土色的驢打滾兒小餅，繼續穿街走巷找尋那個沒名沒姓的骨肉。這一場無望的掙扎，注定了要失敗的。尋覓無望之後，英子的小世界有了顯著的變化：宋媽不再講小拴子放牛的故事了，兒歌也不唱了。以前她把思子之情灌注在納得厚厚的鞋底上，好似祝禱兒子能穩穩地站在無母的歲月裡等她回去團聚。如今「她總是把手上的銀鐲子轉來轉去的呆看著，沒有一句話。」

故事的結束可以說是傳統式的，宋媽終於跟她的丈夫回鄉去了。她希望再生孩子。小拴子和「丫頭」也許是命中與她無緣，因爲中國在世世代代的希望幻滅之後，不得不將生死聚散歸爲緣分。如同英子的母親說的，「是兒不死，是財不散。」宋媽對命運最大的挑戰大概是再生些兒子吧？她騎驢上路的時候，「驢脖子上套了一串小鈴鐺，在雪後新清的空氣裡，響得眞好聽。」這是第一次有歡愉的事與這頭驢有關聯。也許小女孩只在想宋媽不久即將再生可愛的小孩，所以鈴鐺響得好聽。實際上，宋媽的困境並未結束。但是人活著總得有份希望，即使是那頭驢灰撲撲的脖子也掛了一串鈴鐺。在生活的實際奮鬥中，絕望也不是件容易的事。

林海音在後記中說：「每一段故事的結尾，裡面的主角都是離我而去，一直到最後的一篇〈爸爸的花兒落了〉，親愛的爸爸也去了。」宋媽這樣地離去，是悲是喜，似非英子所能理解，但是書中因爲有了宋媽和她的故事，而加添了多層的深度。《城南舊事》在英子的歡樂童年和宋媽的悲苦之間達到了一種平衡。掩卷之際，讀者會想，「看哪，這就是人生的最簡樸的寫實，它在暴行、罪惡和污穢佔滿文學篇幅之前，搶救了許多我們必須保存的東西。」

這一篇我爲《城南舊事》寫的序文原是我在七十一年在美國加州大學講授台灣文學的一篇講稿，七十二年「純文學出版社」重排此書時林海音要我把這份分析與講解寫成序文。

初識海音是在讀她的《曉雲》之後不久，對她的文采與書中濃郁的關懷之情深感佩服。六十四年我主編的《中國現代文學選集（台灣）》英文本由美國華盛頓大學出版社發行，海音的〈金鯉魚的百襉裙〉是第一篇短篇小說，讀者反應很好，記得當我們英譯送請編審委員吳奚眞教授審稿時，一向嚴肅，不苟言笑的奚眞先生竟然感動落淚，暫忘了兩種語言的差距，在〈婚姻的故事〉中，作者以敏銳纖細的人生觀察寫出了二十世紀初葉，中國社會所允許，乃至鼓勵的種種性別不公平現象，其中〈燭〉尤其令人難忘，那個必須隱忍的「賢德」女子竟逃避到一燭光照的蚊帳之內，自囚終生！平日爽朗談笑，豁達舒展的海音，卻在寫小說時以無比的慧心將她的觀點濃聚在一條裙子、一支燭光中，令讀者在引伸思考之後感動難忘，和宋媽乘坐那匹驢子的鈴聲一樣，在雪後的清晨，響著無數可能的未來。

自一九七〇年代，殷張蘭熙將海音的小說英譯集成《綠藻與鹹蛋》等書，她也已將《城南舊事》前三篇譯成英文。我七十四年遭到車禍坐在輪椅上，將後兩篇譯出，寫了序，八十一年由香港中文大學出版社出版。在那本淡雅美麗的封面上有冬陽，有駱駝，書名 Memories of Peking- South Side Stories 。下面是作者林海音，英譯者殷張蘭熙和我的名字。念塵世生命之脆弱短暫，更感文學生命之久長。這一本書竟成了我們數十年談文論藝最美好的見證了。

〈序〉作家・主編・出版人

鄭清文

三島由紀夫（一九二五—七〇）是多種身分的日本著名文學家。不過，開高健（一九三〇—八九）說他「一是評論家，二是劇作家，三是小說家。」三島如果聽到這些話，或許會感到一點悲涼吧。

林海音先生（我們都這樣稱呼她），也是一位身兼數職的文學家。她是主編、作家，也是出版人。從作品而言，她寫小說，也寫散文。

聽說她做《聯副》的主編時，因爲登了一首小詩，犯了禁忌，引咎下台。後來，她創辦了《純文學》雜誌，自任編務。不管是《聯副》或《純文學》雜誌，做爲一位主編，她具有獨特的眼光和作爲。當時戰鬥文學昌盛，她卻能把目光轉向純文學，刊用不少被其他報章雜誌所摒棄的優良作品，可說膽識過人。

林海音曾經告訴我，黃春明有兩篇文章，寫得很好，卻不敢用。這是時代的無奈。後來，她還是冒險用了。這是她喜愛好作品，敬重好文學的天性。她還告訴我，她退了一位名作家的稿。我很驚訝，也很好奇，問她用什麼理由說服對方。她說，這種文章不能登，否則會損傷作者以往的盛名。這是一位好編輯的面目。

林海音創辦《純文學》雜誌，是她的夙願。這份雜誌雖然只維持了五年（一九六七—七二），卻登了不少具有代表性的作品，包括小說、詩、評論和散文。這份雜誌在文學比較貧瘠的時代，提供了一個非常重要的園地。這也是她對台灣文學的貢獻。辦雜誌，最大的困難是稿源和讀者。以林海音的眼光和待人接物的風範，稿源問題似乎較小。但是因爲她標榜純文學，爲讀者劃了一條界線，限制了雜誌的銷售量。這也是純文學雜誌的宿命。

實際上，一位優秀的編輯和一位優秀的作家有一個共同點，就是能夠賞識好的文學作品。林海音是一位主編、作家和出版人。其中，最重要的應該是做爲作家的角色。她寫小說，也寫散文。她的小說遠比散文重要。她最後的小說《孟珠的旅程》，在一九六七年出版，做爲一個小說家，她已結束。不，應該說是已完成。以後，她雖然繼續寫文章，卻以散文爲主，包括遊記。她寫小說的終結點，正是她創辦《純文學》的起點，可見她爲了這個雜誌，犧牲了小說的創作。

林海音所處的是一個特殊的時代，很多人寫大時代、大主題。她卻寫生活、寫愛情、婚姻與家庭。她寫作的重點是女人的歡喜和悲哀。她的文學能深入社會，所以更能寬闊和深厚。

她雖然寫日常生活，卻也未忘記她所處的時代。她寫二十年代的北京，三十年代的南京，以及以後的台灣。她寫時代的交替，戰爭的陰影，兩地人民的阻隔。

台灣的文壇不是緩和前進的。一下子戰鬥文學，一下子現代主義。林海音文學，便是在這些文學的大潮流中間，守著自己的分寸。有一段時期，文壇風行文字的雕鑿，林海音卻充分使用生活語言，用她那敏銳的感受和細膩的筆觸，寫下社會的生態。她是擅於寫時代的女人。

她所處的，不管是中國或台灣，都面臨一個急激的變化。這使人和人的關係更加複雜，也更加尖銳，因此也導致各形各色的悲喜劇。社會和文學都在轉變中，林海音並不扮演一個開創者，她只做一座橋。

從前，有一位文學評論者，喜歡提出一些驚人的見解。他說某個文壇新星出現了，舊的作家，像葉石濤，都已過時了，只能做墊腳石。現在，二十年過去了，葉石濤還是屹立不墜，新星也沒有變成巨星。喧嘩和平實之間，應該如何選擇，是需要一點時間的。

金字塔並不是蓋在半空中。它是用一塊一塊的大石頭，紮實的堆上去的。墊腳石，其實也就是礎石，是金字塔的一部分。台灣的文學，一直沒有建立在穩固的基礎上，是因爲大家都想做堆在金字塔尖頂上的石頭。大家不知道要有更堅實的基礎，才能堆得更高，文學是多樣的，基礎卻是一種——從生活開始，正如繪畫要從素描開始一樣。

林海音把傳統文學的紮實基礎帶到台灣來。但是，在追求飛躍的文壇，她所受到的注意，除了《城南舊事》，似乎略嫌不夠。她的文學，聲光都不大，卻已樹立了一種典範。我們從她的作品，可以看到文學的莊嚴和尊貴。她能編，也能寫。兩者都使台灣的文學更爲充實。

林海音是一位直爽、敏銳，勇於力行的文壇長輩。她廣結善緣，敬重同輩作家，也鼓勵後輩。做人、做文學，她都一貫。由於她有這種特質，她一直走著平坦的路。她自己走這一條路，也帶著別人走這一條路。這是林海音，同時也是林海音文學。

冬陽・童年・駱駝隊

駱駝隊來了，停在我家的門前。

牠們排列成一長串，沉默的站著，等候人們的安排。天氣又乾又冷。拉駱駝的摘下了他的氈帽，禿瓢兒上冒著熱氣，是一股白色的煙，融入乾冷的大氣中。

爸爸在和他講價錢。雙峰的駝背上，每匹都馱著兩麻袋煤。我在想，麻袋裡面是「南山高末」呢？還是「烏金墨玉」？我常常看見順城街煤棧的白牆上，寫著這樣幾個大黑字。但是拉駱駝的說，他們從門頭溝來，他們和駱駝，是一步一步走來的。

另外一個拉駱駝的，在招呼駱駝們吃草料。牠們把前腳一屈，屁股一撅，就跪了下來。

爸爸已經和他們講好價錢了。人在卸煤，駱駝在吃草。

我站在駱駝的面前，看牠們吃草料咀嚼的樣子：那樣醜的臉，那樣長的牙，那樣安靜的態度，牠們咀嚼的時候，上牙和下牙交錯的磨來磨去，大鼻孔裡冒著熱氣，白沫子沾滿在鬍鬚上。我看得呆了，自己的牙齒也動起來。

老師教給我，要學駱駝，沉得住氣的動物。看牠從不著急，慢慢的走，慢慢的嚼；總會走到的，總會吃飽的。也許牠們天生是該慢慢的，偶然躲避車子跑兩步，姿勢很難看。

駱駝隊伍過來時，你會知道，打頭兒的那一匹，長脖子底下總會繫著一個鈴鐺，走起來，「噹、噹、噹」的響。

「爲什麼要一個鈴鐺？」我不懂的事就要問一問。

爸爸告訴我，駱駝很怕狼，因爲狼會咬牠們，所以人類給牠們戴上了鈴鐺，狼聽見鈴鐺的聲音，知道那是有人類在保護著，就不敢侵犯了。

我的幼稚心靈中卻充滿了和大人不同的想法，我對爸爸說：

「不是的，爸！牠們軟軟的腳掌走在軟軟的沙漠上，沒有一點點聲音，你不是說，牠們走上三天三夜都不喝一口水，只是不聲不響的咀嚼著從胃裡倒出來的食物嗎？一定是拉駱駝的人類，耐不住那長途寂寞的旅程，所以才給駱駝戴上了鈴鐺，增加一些行路的情趣。」

爸爸想了想，笑笑說：

「也許，你的想法更美些。」

冬天快過完了，春天就要來，太陽特別的暖和，暖得讓人想把棉襖脫下來。可不是麼？駱駝也脫掉牠的舊駝絨袍子啦！牠的毛皮一大塊一大塊的從身上掉下來，垂在肚皮底下。我眞想拿把剪刀替牠們剪一剪，因爲太不整齊了。拉駱駝的人也一樣，他們身上那件反穿大羊皮，也都脫下來了，搭在駱駝背的小峰上，麻袋空了，「烏金墨玉」都賣了，鈴鐺在輕鬆的步伐裡響得更清脆。

夏天來了，再不見駱駝的影子，我又問媽：

「夏天牠們到哪裡去？」

「誰？」

「駱駝呀！」

媽媽回答不上來了，她說：

「總是問，總是問，你這孩子！」

夏天過去，秋天過去，冬天又來了，駱駝隊又來了，但是童年卻一去不還。冬陽底下學駱駝咀嚼的傻事，我也不會再做了。

可是，我是多麼想念童年住在北京城南的那些景色和人物啊！我對自己說，把它們寫下來吧，讓實際的童年過去，心靈的童年永存下來。

就這樣，我寫了一本《城南舊事》。

我默默的想，慢慢的寫。看見冬陽下的駱駝隊走過來，聽見緩慢悅耳的鈴聲，童年重臨於我的心頭。

四十九年十月

惠安館

一

太陽從大玻璃窗透進來，照到大白紙糊的牆上，照到三屜桌上，照到我的小床上來了。我醒了，還躺在床上，看那道太陽光裡飛舞著的許多小小的、小小的塵埃。宋媽過來撣窗台、撣桌子，隨著雞毛撣子的舞動，那道陽光裡的塵埃加多了，飛舞得更熱鬧了，我趕忙拉起被來蒙住臉，是怕塵埃把我嗆得咳嗽。

宋媽的雞毛撣子輪到來撣我的小床了，小床上的稜稜角角她都撣到了，撣子把兒碰在床欄上，格格的響，我想罵她，但她倒先說話了：

「還沒睡夠哪！」說著，她把我的被大掀開來，我穿著絨褲褂的身體整個露在被外，立刻就打了兩個噴嚏。她強迫我起來，給我穿衣服。印花斜紋布的棉襖棉褲，都是新做的；棉褲筒多可笑，可以直立放在那裡，就知道那棉花夠多厚了。

媽正坐在爐子邊梳頭，傾著身子，一大把頭髮從後脖子順過來，她就用篦子篦呀篦呀的，爐子上是一瓶玫瑰色的髮油，天氣冷，油凝住了，總要放在爐子上化一化才能搽。

窗外很明亮，乾禿的樹枝上落著幾隻不怕冷的小鳥。我在想，什麼時候那樹上才能長滿葉子呢？這是我們在北京過的第一個冬天。

媽媽還說不好北京話，她正在告訴宋媽，今天買什麼菜。媽不會說「買一斤豬肉，不要太肥」。她說：「買一斤租漏，不要太回。」

媽媽梳完了頭，用她的油手抹在我的頭髮上，也給我梳了兩條辮子。我看宋媽提著籃子要出去了，連忙喊住她：

「宋媽，我跟你去買菜。」

宋媽說：

「你不怕惠難館的瘋子？」

宋媽是順義縣人，她也說不好北京話，她說成「惠難館」，媽說成「灰娃館」，爸說成「飛安館」，我隨著胡同裡的孩子說「惠安館」，到底哪一個對，我不知道。

我爲什麼要怕惠安館的瘋子？她昨天還衝我笑呢！她那一笑眞有意思，要不是媽緊緊拉我的手，我就會走過去看她，跟她說話了。

惠安館在我們這條胡同的最前一家，三層石台階上去，就是兩扇大黑門凹進去，門上橫著一塊匾，路過的時候爸教我念過：「飛安會館」。爸說裡面住的都是從「飛安」那個地方來的學生，像叔叔一樣，在大學裡念書。

「也在北京大學？」我問爸爸。

「北京的大學多著呢，還有清華大學呀！燕京大學呀！」

「可以不可以到飛安——不，惠安館裡找叔叔們玩一玩？」

「做唔得！做唔得！」我知道，我無論要求什麼事，爸終歸要拿這句客家話來拒絕我。我想總有一天我要邁上那三層台階，走進那黑洞洞的大門裡去的。

惠安館的瘋子我看見好幾次了，每一次只要她站在門口，宋媽或者媽就趕快捏緊我的手，輕輕說：「瘋子！」我們就擦著牆邊走過去，我如果要回頭再張望一下，她們就用力拉我的胳膊制止我。其實那瘋子還不就是一個梳著油鬆大辮子的大姑娘，像張家李家的大姑娘一樣！她總是倚著門牆站著，看來來往往過路的人。

是昨天，我跟著媽媽到騾馬市的佛照樓去買東西，媽是去買搽臉的鴨蛋粉，我呢，就是愛吃那裡的八珍梅。我們從騾馬市大街回來，穿過魏染胡同、西草廠，到了椿樹胡同的井窩子，井窩子斜對面就是我們住的這條胡同。剛一進胡同，我就看見惠安館的瘋子了，她穿了一身絳紫色的棉襖，黑絨的毛窩，頭上留著一排劉海兒，辮子上紮的是大紅絨繩，她正把大辮子甩到前面來，兩手玩弄著辮梢，愣愣的看著對面人家院子裡的那棵老洋槐。乾樹枝子上有幾隻烏鴉，胡同裡沒什麼人。

媽正低頭嘴裡念叨著，準是在算她今天一共買了多少錢的東西，好跟無事不操心的爸爸報賬，所以媽沒留神已經走到了「灰娃館」。我跟在媽的後面，一直看瘋子，竟忘了走路。這時瘋子的眼光從洋槐上落下來，正好看到我，她眼珠不動的盯著我，好像要在我的臉上找什麼。她的臉白得發青，鼻子尖有點紅，大概是冷風吹凍的，尖尖的下巴，兩片薄嘴唇緊緊的閉著。忽然她的嘴唇動了，眼睛也眨了兩下，帶著笑，好像要說話，弄著辮梢的手也向我伸出來，招我過去呢。不知怎麼，我渾身大大的打了一個寒顫，跟著，我就隨著她的招手和笑意要向她走去。——可是媽回過頭來了，突然把我一拉：

「怎麼啦，你？」

「嗯？」我有點迷糊。媽看了瘋子一眼，說：

「爲什麼打哆嗦？是不是怕——是不是要溺尿？快回家！」我的手被媽使勁拖拉著。

回到家來，我心裡還惦念著瘋子的那副模樣兒。她的笑不是很有意思嗎？如果我跟她說話——我說：「嘿！」她會怎麼樣呢？我愣愣的想著，懶得吃晚飯，實在也是八珍梅吃多了。但是晚飯後，媽對宋媽說：

「英子一定嚇著了。」然後給我沏了碗白糖水，叫我喝下去，並且命令我鑽被窩睡覺。……

這時，我的辮子梳好了，追了宋媽去買菜，她在前面走，我在後面跟著。她的那條噁心的大黑棉褲，那麼厚，那麼肥，褲腳綁著。別人告訴媽說，北京的老媽子很會偷東西，她們偷了米就一把一把順著褲腰裝進褲兜子，剛好落到綁著的褲腳管裡，不會漏出來。我在想，宋媽的肥褲腳裡，不知道有沒有我家的白米？

經過惠安館，我向裡面看了一下，黑門大開著，門道裡有一個煤球爐子，那瘋子的媽媽和爸爸正在爐邊煮什麼，大家都管瘋子的爸爸叫「長班老王」，長班就是給會館看門的，他們住在最臨街的一間屋子。宋媽雖然不許我看瘋子，但是我知道她自己也很愛看瘋子，打聽瘋子的事，只是不許我聽我看就是了。宋媽這時也向惠安館裡看，正好瘋子的媽媽抬起頭來，她和宋媽兩人同時說：「吃了嗎？您！」爸爸說北京人一天到晚閒著沒有事，不管什麼時候見面都要問吃了沒有。

出了胡同口往南走幾步，就是井窩子，這裡滿地是水，有的地方結成薄薄的冰，獨輪水車來一輛去一輛，他們扭著屁股推車，車子吱吱呀呀的響，好刺耳，我要堵起耳朵啦！井窩子有兩個人正向深井裡打水，水打上來倒在一個好大的水槽裡，推水的人就在大水槽裡接了水再送到各家去。井窩子旁住著一個我的朋友——和我一樣高的妞兒。我這時停在井窩子旁邊不走了，對宋媽說：

「宋媽，你去買菜，我等妞兒。」

妞兒，我第一次是在油鹽店裡看見她的。那天她兩隻手端了兩個碗，拿了一大枚，又買醬，又買醋，又買蔥，夥計還逗著說：「妞兒，唱一段才許你走！」妞兒眼裡含著淚，手搖晃著，醋都要灑了，我有說不出的氣惱，一下竄到妞兒身旁，插著腰問他們：

「憑什麼？」

就這樣，我認識了妞兒。

妞兒只有一條辮子，又黃又短，像媽在土地廟給我買的小狗的尾巴。第二次看見妞兒，是我在井窩子旁邊看打水。她過來了，一聲不響的站在我身邊，我們倆相對著笑了笑，不知道說什麼好。等一會兒，我就忍不住去摸她那條小黃辮子了，她又向我笑了笑，指著後面，低低的聲音說：

「你就住在那條胡同裡？」

「嗯。」我說。

「第幾個門？」

我伸出手指頭來算了算：

「一、二、三、四，第四個門。到我們家來玩兒。」

她搖搖頭說：「你們胡同裡有瘋子，媽不叫我去。」

「怕什麼？她又不吃人。」

她仍然是笑笑的搖搖頭。

妞兒一笑，眼底下鼻子兩邊的肉就會有兩個小漩渦，很好看，可是宋媽竟跟油鹽店的掌櫃說：

「這孩子長得俊倒是俊，就是有點薄，眼睛太透亮了，老像水汪著，你看，眼底下有兩個淚坑兒。」

我心裡可是有說不出的喜歡她，喜歡她那麼溫和，不像我一急宋媽就罵我的：「又跳？又跳？小暴雷。」那天她跟我在井窩子邊站了一會兒，就小聲的說：「我要回去了，我爹等著我吊嗓子。趕明兒見！」

我在井窩子旁跟妞兒見過幾次面了，只要看見紅棉襖褲從那邊閃過來，我就滿心的高興，可是今天，等了好久都不見她出來，很失望，我的絨褂子口袋裡還藏著一小包八珍梅，要給妞兒吃的。我摸摸，發熱了，包的紙都破爛了，黏乎乎的，宋媽洗衣服時，我還得挨她一頓罵。

我覺得很沒意思，往回家走，我本來想今天見著妞兒的話，就告訴她一個好主意，從橫胡同穿過到我家，就用不著經過惠安館，不用怕看見瘋子了。

我低頭這麼想著，走到惠安館門口了。

「嘿！」

嚇了我一跳！正是瘋子。咬著下嘴唇，笑著看我。她的眼睛裡透亮，一笑眼底下——就像宋媽說的，怎麼也有兩個淚坑兒呀！我想看清楚她，我是多麼久以前就想看清楚她的。我不由得對著她的眼神走上了台階。太陽照在她的臉上，常常是蒼白的顏色，今天透著亮光了。揣在短棉襖裡的手伸出來拉住我的手，那麼暖，那麼軟。我這時看看胡同裡，沒有一個人走過。眞奇怪，我現在怕的不是瘋子，倒是怕人家看見我跟瘋子拉手了。

「幾歲了？」她問我。

「嗯——六歲。」

「六歲！」她很驚奇的叫了一聲，低下頭來，忽然撩起我的辮子看我的脖子，在找什麼。「不是。」她喃喃的自己說話，接著又問我：

「看見我們小桂子沒有？」

「小桂子？」我不懂她在說什麼。

這時大門裡瘋子的媽媽出來了，皺著眉頭怪著急的說：

「秀貞，可別把人家小姑娘嚇著呀！」又轉過臉來對我說：

「別聽她的，胡說呢！回去吧！等回頭你媽不放心。嗯——聽見沒有？」她說著，用手揚了揚，叫我回去。

我抬頭看著瘋子，知道她的名字叫秀貞了。她拉著我的手，輕搖著，並不放開我。她的笑，增加了我的勇氣，我對老的說：

「不！」

「小南蠻子兒！」秀貞的媽媽也笑了，輕輕的指點著我的腦門兒，這準是一句罵我的話，就像爸爸常用看不起的口氣對媽說「他們這些北仔鬼」是一樣的吧！

「在這兒玩不要緊，你家來了人找，可別賴是我們姑娘招的你。」

「我不說的啦！」何必這麼囑咐我？什麼該說，什麼不該說，我都知道。媽媽打了一隻金鐲子，藏在她的小首飾箱裡，我從來不會告訴爸爸。

「來！」秀貞拉著我往裡走，我以為要到裡面那一層一層很深的院子裡去找上大學的叔叔們玩呢，原來她把我帶進了她們住的門房。

屋裡可不像我家裡那麼亮，玻璃窗小得很，臨窗一個大炕，中間擺了一張矮炕桌，上面堆著活計和針線盒子。秀貞從桌上拿起了一件沒做完的衣服，朝我身上左比右比，然後高興的對走進來的她的媽媽說：

「媽，您瞧，我怎麼說的，剛合適！那麼就開領子吧。」說著，她又找了一根繩子，繞著我的脖子量，我由她擺布，只管看牆上的那張畫，畫兒是一個白胖大娃娃，沒有穿衣服，手裡捧著大元寶，騎在一條大大的紅魚上。

秀貞轉到我的面前來，看我仰著頭，她也隨著我的眼光看那張畫，滿是那麼回事的說：

「要看炕上看去，看我們小桂子多胖，那陣兒才八個月，騎著大金魚，滿屋裡轉，玩得飯都不吃，就這麼淘……」

「行啦行啦！不——害——臊！」秀貞正說得高興，我也聽得糊裡糊塗，長班老王進來了，不耐煩的瞪了秀貞一眼說她。秀貞不理會她爸爸，推著我脫鞋上炕，湊近在畫下面，還是只管說：

「飯不吃，衣服也不穿，就往外跑，老是急著找她爹去，我說了多少回都不聽，我說等我給多做幾件衣服穿上再去呀！今年的襯褂倒是先做好了，背心就差縫鈕子了。這件棉襖開了領子馬上就好。可急的是什麼呀！眞叫人納悶兒，到底是怎麼檔子事兒……」她說著說著不說了，低著頭在想那納悶兒的事，一直發愣。我想，她是在和我玩「過家家兒」吧？她媽不是說她胡說嗎？要是過家家兒，我倒是有一套玩意兒，小手錶、小算盤、小鈴鐺，都可以拿來一起玩。所以我就說：

「沒有關係，我把手錶送給小桂子，她有了錶就有一定時候回家了。」可是——這時我倒想起媽會派宋媽來找我，就又說：「我也要回家了。」

秀貞聽我說要走，她也不發愣了，一面隨著我下了炕，一面說：「那敢情好，先謝謝你啦！看見小桂子叫她回來，外頭冷，就說我不罵她，不用怕。」

我點了點頭，答應她，眞像有那麼一個小桂子，我認識的。

我一邊走著一邊想，跟秀貞這樣玩兒，眞有意思；假裝有一個小桂子，還給小桂子做衣服。爲什麼人家都不許他們的小孩子跟秀貞玩兒呢？還管她叫瘋子？我想著就回頭去看，原來秀貞還倚著牆看我呢！我一高興就連跑帶跳的回家來。

宋媽正在跟一個老婆子換洋火，房簷底下堆著字紙簍、舊皮鞋、空瓶子。

我進了屋子就到小床前的櫃裡找出手錶來。小小圓圓的金錶，鑲著幾粒亮亮的鑽石，上面的針已經不能走動了，媽媽說要修理，可一直放著，我很喜歡這手錶，常拿來戴在手上玩，就歸了我了。我正站在三屜桌前玩弄著，忽然聽見窗外宋媽正和老婆子在說什麼，我仔細聽，宋媽說：

「後來呢？」

「後來呀，」換洋火的老婆子說，「那學生一去到如今晚兒就沒回來！臨走的時候許下的，回到他老家賣田賣地，過一個月就回來明媒正娶她。好嘛！這一等就是六年啦！多俊的姑娘，我眼瞧著她瘋的。……」

「說是怎麼著？還生了個孩子？」

「是呀！那學生走的時候，姑娘她媽還不知道姑娘有了，等到現形了，這才趕著送回海甸義地去生的。」

「義地？」

「就是他們惠安義地，惠安人在北京死了就埋在他們惠安義地裡。原來王家是給義地看墳的，打姑娘的爺爺就看起，後來才又讓姑娘她爹來這兒當長班，誰知道出了這麼檔子事兒。」

「他們這家子倒是跟惠難有緣，惠難離咱們這兒多遠哪？怎麼就一去不回頭了呢？」

「可遠嘍！」

「那麼生下來的孩子呢？」

「孩子呀，一落地就裹包裹包，趁著天沒亮，送到齊化門城根底下啦！反正不是讓野狗吃了，就是讓人撿去了！」

「姑娘打這兒就瘋啦？」

「可不，打這兒就瘋了！可憐她爹媽，這輩子就生下這麼個姑娘。唉！」

兩個人說到這兒都不言語了，我這時已經站到屋門口傾聽。宋媽正數著幾包丹鳳牌的紅頭洋火，老婆子把破爛紙往她的大筐裡塞呀塞呀！鼻子裡吸溜著清鼻涕。宋媽又說：

「下回給帶點刨花來。那——你跟瘋子她們是一地兒的人呀？」

「老親嘍！我大媽娘家二舅屋裡的三姐算是瘋子她二媽，現在還在看墳，他們說得還有錯兒嗎？」

宋媽一眼看見了我，說：

「又聽事兒，你。」

「我知道你們說誰。」我說。

「說誰？」

「小桂子她媽。」

「小桂子她媽？」宋媽哈哈大笑，「你也瘋啦？哪兒來的小桂子她媽呀？」

我也哈哈笑了，我可是知道誰是小桂子她媽呀！

二

天氣暖和多了，棉襖早就脫下來，夾襖外面早晚涼就罩上一件薄薄的棉背心，又輕又軟。我穿的新布鞋，前頭打了一塊黑皮子頭，老王媽——秀貞她媽，看見我的新鞋說：

「這雙鞋可結實喲——把我們家的門檻兒踢爛了，你這雙鞋也破不了！」

惠安館我已經來熟了，會館的大門總是開著一扇，所以我隨時可以溜進來。我說溜進來，因爲我總是背著家裡的人偷著來的，他們只知道我常常是隨著宋媽買菜到井窩子找妞兒，一見宋媽進了油鹽店，我就回頭走，到惠安館來。

我今天進了惠安館，秀貞不在屋裡。炕桌上擺著一個大玻璃缸，裡面是幾條小金魚，游來游去。我問王媽：

「秀貞呢？」

「跨院裡呢！」

「我去找她。」我說。

「別介，她就來，你這兒等著，看金魚吧！」

我把鼻子頂著金魚缸向裡看，金魚一邊游一邊嘴巴一張一張的在喝水，我的嘴也不由得一張一張的在學魚喝水。有時候金魚游到我的面前來，隔著一層玻璃，我和魚鼻子頂牛兒啦！我就這麼看著，兩腿跪在炕沿上，都麻了，秀貞還不來。

我翻腿坐在炕沿上，又等了一會，還不見秀貞來，我急了，溜出了屋子，往跨院裡去找她。那跨院，彷彿一直都是關著的，我從來也沒有見誰去過那裡。我輕輕推開跨院門進去，小小的院子裡有一棵不知道什麼樹，已經長了小小的綠葉子了。院角地上是乾枯的落葉，有的爛了。秀貞大概正在打掃，但是我進去時看見她一手拿著掃帚倚在樹幹上，一手掀起了衣襟在擦眼睛，我悄悄走到她跟前，抬頭看著她。她也許看見我了，但是沒理會我，忽然背轉身子去，伏著樹幹哭起來了，她說：

「小桂子，小桂子，你怎麼不要媽了呢？」

那聲音多麼委屈，多麼可憐啊！她又哭著說：

「我不帶你，你怎麼認得道兒，遠著呢！」

我想起媽媽說過，我們是從很遠很遠的家鄉來的，那裡是個島，四面都是水，我們坐了大輪船，又坐大火車，才到這個北京來。我曾問媽媽什麼時候回去，媽說早著呢，來一趟不容易，多住幾年。那麼秀貞所說的那個遠地方，是像我們的島那麼遠嗎？小桂子怎麼能一個人跑了去？我替秀貞難過，也想念我並不認識的小桂子，我的眼淚掉下來了。在模模糊糊的淚光裡，我彷彿看見那騎著大金魚的胖娃娃，是什麼也沒穿啊！

我含著眼淚，大大的倒抽了一口氣，爲的不讓我自己哭出來，我揪揪秀貞褲腿叫她：

「秀貞！秀貞！」

她停止了哭聲，滿臉淚蹲下來，摟著我，把頭埋在我的前胸擦來擦去，用我的綿綿軟軟的背心，擦乾了她的淚，然後她仰起頭來看看我笑了，我伸出手去調順她的揉亂的劉海兒，不由得說：

「我喜歡你，秀貞。」

秀貞沒有說什麼，吸溜著鼻涕站起來。天氣暖和了，她也不穿綁腿棉褲了，現在穿的是一條肥肥的散腿褲。她的腿很瘦嗎？怎麼風一吹那褲子，顯得那麼晃盪。她渾身都瘦，剛才蹲下來伏在我的胸前時，我看那塊後脊背，平板兒似的。

秀貞拉著我的手說：

「屋裡去，幫著拾掇拾掇。」

小跨院裡只有這麼兩間小屋，門一推吱啞啞的一串尖響，那聲音不好聽，好像有一根刺扎在人心上。從太陽地裡走進這陰暗的屋裡來，怪涼的。外屋裡，整整齊齊的擺著書桌、椅子、書架，上面滿是灰土，我心想，應該叫我們宋媽來給撢撢，準保揚起滿屋子的灰。爸爸常常對媽說，為什麼宋媽不用濕布擦，這樣大撢一陣，等一會兒，灰塵不是又落回原來的地方了嗎？但是媽媽總請爸爸不要多嘴，她說這是北京規矩。

走進屋裡去，小一點，只擺了一張床、一個茶几。床上有一口皮箱，秀貞把箱子打開來，從裡面拿出一件大棉袍，我爸爸也有，是男人的。秀貞把大棉袍抱在胸前，自言自語的說：

「該翻翻添點棉花了。」

她把大棉袍抱出院子去曬，我也跟了去。她進來，我也跟進來。她叫我和她把箱子抬到院子太陽底下曬，裡面只有一雙手套、一頂呢帽和幾件舊內衣。她很仔細的把這幾件零碎衣物攤開來，並且拿起一件條子花紋的褂子對我說：

「我瞧這件褂子只能給小桂子做夾襖裡子了。」

「可不是，」我翻開了我的夾襖裡給秀貞看，「這也是用我爸爸的舊衣服給改的。」

「你也是用你爸爸的？你怎麼知道這衣服就是小桂子她爹的？」秀貞微笑著瞪

眼問我，她那樣子很高興，她高興我就高興，可是我怎麼會知道這是小桂子她爹的？她問得我答不出，我斜著頭笑了，她逗著我的下巴還是問：

「說呀！」

我們倆這時是蹲在箱子旁，我很清爽的看著她的臉，劉海兒被風吹倒在一邊，她好像一個什麼人，我卻想不出。我回答她說：

「我猜的。那麼——」我又低聲的問她：「我管小桂子她爹叫什麼呀？」

「叫叔叔呀！」

「我已經有叔叔了。」

「叔叔還嫌多？叫他思康叔叔好了，他排行第三，叫他三叔也行。」

「思康三叔，」我嘴裡念著，「他幾點鐘回家？」

「他呀，」秀貞忽然站起來，緊皺著眉毛斜起頭在想，想了好一會兒才說，「快了。走了有個把月了。」

說著她又走進屋，我再跟進去，弄這弄那，又跟出來，搬這搬那，這樣跟出跟進忙得好高興。秀貞的臉這時粉嘟嘟的了，鼻頭兩邊也抹了灰土，鼻子尖和嘴唇上邊滲著小小的汗珠，這樣的臉看起來眞好看。

秀貞用袖子抹著她鼻子上的汗，對我說：「英子，給我打盆水來會不會？屋裡要擦擦。」

我連忙說：

「會，會。」

跨院的房子原和門房是在一溜沿的，跨院多了一個門就是了，水缸和盆就放在門房的房簷下。我掀開水缸的蓋子，一勺勺的往臉盆裡舀水，聽見屋裡有人和秀貞的媽說話：

「姑娘這陣子可好點兒了嗎？」

「唉！別提了，這陣子又鬧了，年年開了春就得鬧些日子，這兩天就是哭一陣子笑一陣子的，可怎麼好！眞是……」

「這路毛病就是春天犯得兇。」

我端了一盆水，連晃連灑，潑了我自己一身水，到了跨院屋裡，也就剩不多了。把盆放在椅子上，忽然不知哪兒飄來炒菜香，我聞著這味兒想起了一件事，便對秀貞說：

「我要回家了。」

秀貞沒聽見，只管在抽屜裡翻東西。

我是想起回家吃完飯還要到横胡同去等妞兒，昨天約會好了的。

又涼又濕的褲子，貼在我的腿上，一進門媽媽就罵了：

「就在井窩子玩一上午？我還以爲你掉到井裡去了呢？看你弄這麼一身水！」媽一邊給我換衣服，一邊又說：「打聽打聽北京哪個小學好，也該送進學堂了，聽說廠甸那個師大附小還不錯。」

媽這麼說著，我才看見原來爸爸也已經回來了，我弄了一身水，怕爸爸要打罵我，他厲害得很，我縮頭看著爸爸，準備被挨打的姿勢，還好他沒注意，抽著菸捲兒在看報，漫應著說：

「還早呢，急什麼。」

「不送進學堂，她滿街跑，我看不住她。」

「不聽話就打！」爸的口氣好像很凶，但是隨後卻轉過臉來向我笑笑，原來是嚇唬我呢！他又說：「英子上學的事，等她叔叔來再對他說，由他去管吧！」

吃完飯我到橫胡同去接了妞兒來，天氣不冷了，我和妞兒到空閒著的西廂房裡玩，那裡堆著拆下來的爐子、煙筒、不用的桌椅和床鋪。一個破藤箱子裡，養了最近買的幾隻剛孵出來的小油雞，那柔軟的小黃絨毛太好玩了，我和妞兒蹲著玩弄箱裡的幾隻小油雞。看小雞啄米吃，總是吃，總是吃，怎麼不停啊！

小雞吃不夠，我們可是看夠了，蓋上藤箱，我們站起來玩別的。拿兩個制錢穿在一根細繩子上，手提著，我們玩踢制錢，每一踢，兩個制錢打在鞋幫上「嗒嗒」的響。妞兒踢時腰一扭一扭的，顯得那麼嬌。

這一下午玩得好快樂，如果不是妞兒又到了她吊嗓子的時候，我們不知道要玩多麼久。

爸爸今天買來了新的筆和墨，還有一疊紅描字紙。晚上，在煤油燈底下，他教我描紅模字，先念那上面的字：「一去二三里，煙村四五家，亭台六七座，八九十枝花。」

爸爸說：

「你一天要描一張，暑假以後進小學，才考得上。」

早上我去惠安館找秀貞，下午妞兒到西廂房裡來找我，晚上描紅模字，我這些日子就這麼過的。

小油雞的黃毛上長出短短的翅膀來了，我和妞兒餵米餵水又餵菜，宋媽說不要把小雞肚子撐壞了，也怕被野貓給叼了去，就用一塊大石頭壓住藤箱蓋子，不許我們隨便掀開。

妞兒和我玩的時候，嘴裡常常哼哼唧唧的，那天一高興，她竟扭起來了，她扭呀扭呀比來比去，嘴裡唱著：「……開哀開門嗯嗯兒，碰見張秀才哀哀……」

「你唱什麼？這就是吊嗓子嗎？」我問。

「我唱的是打花鼓。」妞兒說。

她的興致很好，只管輕輕的唱下去，扭下去，我在一旁看傻了。她忽然對我說：「來！跟我學，我教你。」

「我也會唱一種歌，」不知怎麼，我想我也應當露一露我的本事，一下子想起了爸爸有一回和客人談天數唱的一首歌，後來爸曾教了我，媽還說爸爸教我這種歌眞是沒大沒小呢！

「那你唱，那你唱。」妞兒推著我，我卻又不好意思唱了，她一定要我唱，我只好結結巴巴的用客家話念唱起來：

「你聽著——想來麼事想心肝，緊想心肝緊不安！我想心肝心肝想，正是心肝想心肝……」

我還沒數完呢，妞兒已經笑得擠出了眼淚，我也笑起來了，那幾句詞兒可眞是拗嘴。

「誰教你的？什麼心肝想心肝，心想心肝想的，哈哈哈！你唱的這是哪國的歌兒呀！」

我們倆摟在一堆笑，一邊瞎說著心肝心肝的，也鬧不清是什麼意思。

我們眞快樂，胡說胡唱胡玩，西廂房是我們的快樂窩，我連做夢都想著它。妞兒每次也是玩得夠不夠的才看看窗外，忽然叫喊：「可得回去了！」說完她就跑，急得連「再見」都來不及說。

忽然一連幾天，橫胡同裡接不到妞兒了，我是多麼的失望，站在那裡等了又等。我慢慢走向井窩子去，希望碰見她，可是沒有用。下午的井窩子沒那麼熱鬧了，因爲送水的車子都是上午來，這時只有附近人家自己推了裝著鉛桶的小車子來買井水。

我看見長班老王也推了小車子來，他一趟一趟來好幾趟了，見我一直站在那裡，奇怪的問我：

「小英子，你在這兒發什麼傻？」

我沒有說什麼，我自己心裡的事，自己知道。我說：

「秀貞呢？」我想如果等不到妞兒，就去找秀貞，跨院裡收拾得好乾淨了。但是老王沒理我，他裝滿了兩桶水，就推走了。

我正在猶豫著怎麼辦的時候，忽然從西草廠口上，轉過來一個熟悉的影子，正是妞兒，我多高興！趕忙跑著迎上去，喊她：「妞兒！妞兒！」她竟不理我，就像不認識我，也像沒聽見有人叫她。我很奇怪，跟在她身邊走，但她用手輕輕趕開我，皺著眉頭眨眼，意思叫我走開。我不知道是怎麼回事，但見她身後幾步遠有一個高大的男人，穿著藍布大褂，手提著一個髒了的長布口袋，口袋上露出來我看見是一把胡琴。

我想這一定是妞兒的爸爸。妞兒常說「我怕我爹打」、「我怕我爹罵」的話，我現在看那樣子就知道，我不跟妞兒再說話了，就轉身走回家，心裡好難受。我口袋裡有一塊化石，可以在磚上寫出白字來，我掏出來，就不由得順著人家的牆上一直畫下去，畫到我家的牆上。心裡想著如果沒有妞兒一起玩，是多麼沒有意思呢！

我剛要叫門，忽然聽見橫胡同裡咚咚咚有人跑步聲，原來是妞兒氣喘著跑來了，她匆匆忙忙神色不安的說：「我明兒再來找你。」沒等我回答，她就又跑回橫胡同了。

第二天早晨，妞兒來找我，我們在西廂房裡，蹲下來看小油雞。掀開藤箱蓋子，我們倆都把手伸進去摸小油雞的羽毛，這樣摸著摸著，誰也沒說話。我本來是要說話的，但是沒有出聲，只是心裡在問她：「妞兒，爲什麼好多天沒來找我？」「妞兒，是你爸爸很厲害不許你來嗎？」「妞兒，昨天爲什麼不許我跟你說話？」「妞兒，你一定有什麼難受的事吧？」眞奇怪，這些話都是我心裡想的，並沒有說出口，可是她怎麼知道的，竟用眼淚來回答我？她不說話，也不用袖子去抹眼，就讓眼淚滴答滴答落在藤箱裡，都被小油雞和著小米吃下去了！

我不知怎麼辦好了，從側面正看見她的耳朵，耳垂上扎了洞用一根紅線穿過去，妞兒的耳朵沒有洗乾淨，邊沿上有一道黑泥。我再順著她的肩膀向下看，手腕上有一條青色的傷痕，我伸手去撩起她的袖口看，她這才驚醒了，嚇得一躲閃，隨著就轉過頭來向我難過的笑笑。早晨的太陽，正照到西廂房裡，照到她的不太乾淨的臉上，又濕又長的睫毛，一閃動，眼淚就流過淚坑淌到嘴邊了。

忽然，她站起來，撩開袖口，撩起褲角，輕輕的說：

「看我爸爸打的！」

我是蹲著的，伸出手正好摸到她腿上那一條條腫起的傷痕。我輕輕的摸，倒惹得她哭出聲音來了。她因爲不敢放聲，嚶嚶的小聲哭，眞是可憐。我說：

「你爸爸幹麼打你？」

她當時說不出話來，哭了好一會兒才說：

「他不許我出來玩。」

「是因爲在我家待太久了？」

妞兒點點頭。

因爲在我家玩久了，害得她挨打，我又難過，又害怕，想到那個高大的男人，我不由得說：

「那麼你快回去吧！」她站著不動，說：

「他一早出去還沒回來。」

「那麼你媽呢？」

「我媽也擰我，她倒不管我出來的事。爸爸也打她。打了她，她就擰我，說是我害的。」

妞兒哭了一陣子好些了，又跟我說這說那的，我說我從來沒有看過她的媽媽，妞兒說她的媽媽有點跛，一天到晚就是坐在炕頭上給人縫補衣服賺錢。

我告訴妞兒，我們從前不住在北京，是從一個很遠的島上來的。她也說：

「我們從前也不住在這兒，我們住在齊化門那邊。」

「齊化門？」我點點頭說，「我知道那地方。」

「你怎麼會也知道齊化門呢？」妞兒奇怪的問我。

我想不出我是怎麼知道的，但我的確知道，好像有什麼人大清早曾帶我去過那裡，而且我也像看見了那裡的樣子似的，不，不，不是，我所看見的很模糊，也許那是一個夢吧？因此我就回答妞兒說：

「我夢見過那個地方，有沒有城牆？有一天，有一個女人抱著一個包袱，大清早上，偷偷的向城牆走去……」
「你是講故事吧？」
「也許是故事，」我斜著頭又深深的想了想。「反正我知道齊化門就是了。」
妞兒笑了笑，手伸過來摟著我的脖子，我的手也伸過去摟住她的。但當我捏住她的肩頭，她輕喊了一聲：「疼！疼！」
我的手連忙鬆開，她又皺著眉說：「連這兒都把我抽腫了！」
「什麼抽的？」
「撢子。」停了一下她又說：「我爸，還有我媽，他們——」但她頓住不說下去了。
「他們怎麼樣？」
「不說了，下回再跟你說。」
「我知道，你爸爸教你唱戲，要你賺錢給他們花。」這是我聽宋媽跟媽媽講過的，所以一下子就給說出來了。「要你賺錢還打你，憑什麼！」我說到後來氣憤起來了。
「喝喝，你瞧你什麼都知道，我不是要跟你說唱戲的事，你哪兒知道我要跟你說什麼呀！」

「到底要說什麼呢?說嘛!」

「你這麼猴急,我就不說了。你要是跟我好,我有好多話要跟你說,就是不許你跟別人說,也別告訴你媽。」

「我不會,我們小聲的說。」

妞兒猶豫了一會兒,伏在我的耳旁小聲而急快的說:

「我不是我媽生的,我爸爸也不是親的。」

她說得那樣快,好像一個閃電過去那麼快,跟著就像一聲雷打進了我的心,使我的心跳了一大跳。她說完後,把附在我耳旁的手挪開,睜著大眼睛看我,好像在等著看我聽了她的話,會怎麼個樣子。我呢,也只是和她對瞪著眼,一句話也說不出來。

我雖然答應妞兒不講出她的祕密,可是妞兒走了以後,我心裡一直在想著這件事,我越想越不放心,忽然跑到媽媽面前,愣愣的問:

「媽,我是不是你生的?」

「什麼?」媽奇怪的看了我一眼。「怎麼想起問這話?」

「你說是不是就好了。」

「是呀,怎麼會不是呢?」停一下媽又說:「要不是親生的,我能這麼疼你嗎？像你這樣鬧，早打扁了你了。」

我點點頭，媽媽的話的確很對，想想妞兒吧！「那麼你怎麼生的我？」這件事，我早就想問的。

「怎麼生的呀，嗯——」媽想了想笑了，胳膊抬起來，指著胳肢窩說：

「從這裡掉出來的。」

說完，她就和宋媽大笑起來。

三

我手裡拿著一個空瓶子和一雙竹筷子，輕輕走進惠安館，推開跨院的門，院裡那棵槐樹，果然又垂著許多綠蟲子，秀貞說是吊死鬼，像秀貞的那幾條蠶一樣，嘴裡吐著一條絲，從樹上吊下來。我把吊死鬼一條條弄進我的空瓶裡，回家去餵雞吃，每天都可以弄一瓶。那些吊死鬼裝在小瓶裡，咕囊咕囊的動，眞是肉麻，我拿著裝了吊死鬼的瓶子，胳膊常常覺得癢痲痲的，好像吊死鬼從瓶裡爬到我的胳膊上了，其實沒有。

我在把一條吊死鬼往瓶裡裝的時候，忽然想到了妞兒，心裡很不安。她昨天又挨揍了，拿了兩件衣服偷偷的來找我，進門就說：

「我要找我親爹親媽去！」她的臉有一邊被打得紅腫了。

「他們在哪兒呢？」

「我不知道，到齊化門，再慢慢的找。」

「齊化門在哪兒呢？」

「你不是說你也知道那地方嗎？」

「我是說我好像做夢夢見過那地方的。」

妞兒把兩件衣服塞在西廂房的空箱子裡，很有主意的抹乾了眼淚，恨恨的說：

「我非找著我親爹不可。」

「你知道他長得什麼樣子嗎？」我眞佩服她，但覺得這是一件太大太大的事。

「我一天一天的找唄！總會找到我親爹跟我親娘。他們的樣子我心裡知道。」

「那麼——」我也不知道要說什麼，因爲我一點主意也沒有。

妞兒臨走的時候說，她不定哪天就要偷偷的走，但是一定會先來這裡跟我說一聲，並且帶走存在這裡的兩件衣服。

我昨天一直在想妞兒的事，心裡很不舒服，晚上就吃不下飯了，媽媽摸摸我的頭說：

「好像有點熱，不吃也好，早點去睡。」

我上了床，心裡還是不舒服，又說不出，就哭起來了。媽媽很奇怪，她說：

「哭什麼？哪兒不舒服？」我不知怎麼一來竟哭著說：

「妞兒她爸爸啊……」

「妞兒她爸爸？怎麼啦？她爸爸怎麼著你啦？」宋媽也過來了，她說：

「那個不是東西的，準是罵了我們英子了，還是打了你啦？」

「不是！」我忽然覺出我是說了什麼糊塗話，便撒賴的哭喊著說，「我要找我爸爸！」

「是要找你爸爸呀！唉！嚇人！」宋媽和媽媽都笑了。媽媽說：

「你爸爸今天去看你叔叔，回來得晚點兒，你先睡吧！」她又對宋媽說，「英子一生下來，她爸爸就給慣的，一不舒服，爸爸就抱著睡。」

「羞不羞？」宋媽用一個手指劃我的臉，我不理她，轉過臉去衝著牆閉上眼睛。

今天我早晨起來就好得多了，不像昨天那樣不安心。但是現在又想起妞兒，手裡不由得停止了捉蟲子的工作，呆呆的想，不知道什麼時候，妞兒就會離開我。

我把瓶子扔在樹下，站起來走到窗下向裡看。秀貞正在裡屋床前的一個杌凳上坐著，面向著床，我只看到她那小平板兒似的背影，辮子也沒梳好。她比手劃腳，又揚手哄蒼蠅，其實哪兒有蒼蠅？我輕輕的走進屋裡，在外屋桌旁靠著，傻看她在幹什麼，只聽她說：

「我準知道你昨兒晚上沒吃飯就睡覺了，是不是？那怎麼行！」

咦！眞奇怪，秀貞怎麼知道我昨晚沒吃飯就睡覺了呢？我倚在裡屋的門框說：

「誰告訴你的！」

「啊？」她回過頭來看見我愁眉不展的樣子，很正經的對我說：

「還用人告訴我嗎？這碗粥一動也沒動呀！」說完指著床旁茶几上的一個碗和一雙筷子。

我這才知道秀貞說的不是我。自從天氣暖和了，打開一向深閉的跨院門以後，秀貞就一天到晚在這兩間屋裡出出進進，說著那種我又懂、又不懂的話。最先我以爲是秀貞跟我玩「過家家兒」，後來才又覺得不是假裝的事情，它太像眞事了！

秀貞又向著那空床發呆看了一會兒，轉過頭來，輕手輕腳的拉著我走到屋外來，小聲的說：

「睡著了，讓他睡去吧！這一場病也眞虧他，沒親沒故的！」

外屋書桌上擺著那缸春天買的金魚，已經死了幾條，可是秀貞還是天天勤著換水，玻璃缸裡還加了幾根水草，紅色的魚在綠色的水草中鑽來鑽去，非常好玩。我怎麼知道魚是紅的草是綠的呢？媽媽教過我，她說快考小學了，老師要問顏色，要問住在哪兒，要問家裡有幾個人。秀貞還養了一盒蠶，她對我說過：

「你要上學，我們小桂子也該上學了，我養點蠶，吐了絲，好給小桂子裝墨盒用。」

有幾條蠶已經在吐絲了，秀貞另外把牠們放在一個蒙了紙的茶杯上，就讓牠們在那紙上吐絲。眞有趣，那些蠶很乖，就不會爬到茶杯下面來。另外的許多蠶還在吃桑葉。

秀貞在打掃蠶屎，她把一粒粒的蠶屎裝進一個鐵罐裡，她已經留了許多，預備裝成一個小枕頭，給思康三叔用。因爲他每天看書眼睛得保養，蠶屎是明目的。

我在旁邊靜靜的看著魚缸，看著吐絲，院子裡的樹，正靠在窗下，這屋裡陰涼得很，我們倆都不敢大聲說話，就像眞的屋裡躺著一個要休息的病人。

秀貞忽然問我：

「英子，我跟你說的事記住沒有？」

我一時想不起是什麼事，因爲她對我說過的事，眞眞假假的太多了。她說將來要我跟小桂子一塊兒去上學，小桂子也要考廠甸小學。她又告訴我從廠甸小學回家，順著琉璃廠直到廠西門，看見鹿犄角胡同雷萬春的玻璃窗裡那對大鹿犄角，一拐進椿樹胡同就到家了。可是她又說過，她要帶小桂子去找思康三叔，做了許多衣服和鞋子，行李都打點好了。

我最記得秀貞說過的話，那是她講的生小桂子的那回事。有一天，我早早溜到這裡找秀貞，她看見我連辮子都沒梳，就端出梳頭匣子來，從裡面拿出牛角梳子、骨頭針和大紅頭繩，然後把我的頭髮散開來，慢慢的梳。她是坐在椅子上的，我就坐在小板凳上，夾在她的兩腿中間，我的兩隻胳膊正好架在她的兩腿上，兩隻手摸著她的兩膝蓋，兩塊骨頭都成了尖石頭，她瘦極了。我背著她，她問我：

「英子，你幾月生的？」

「我呀？青草長起來，綠葉發出來，媽媽說，我生在那個不冷不熱的春天。小桂子呢？」秀貞總把我的事情和小桂子的事情連在一起，所以我也就一下子想起小桂子。

「小桂子呀，」秀貞說，「青草要黃了，綠葉快掉了，她是生在那不冷不熱的秋天。那個時光，桂花倒是香的，聞見沒有？就像我給你搽的這個桂花油這麼香。」她說著，把手掌送到我的鼻前晃一晃。

像懂得點那意思。

「小—桂—子。」我吸了吸鼻子，聞著那油味，不由得一字字的念出來，我好

秀貞很高興的說：

「對了，小桂子，就是這麼起的名兒。」

「我怎麼沒看見桂花樹？這裡哪棵樹是桂花？」我問。

「又不是在這屋子裡生的！」秀貞已經在編我的辮子了，編得那麼緊，拉得我的頭髮根怪痛的，我說：

「爲什麼用這麼大的力氣呀？」

「我當時要是有這麼大力氣倒好了。我生了小桂子，渾身都沒勁兒，就昏昏沉沉的睡，睡醒了，小桂子不在我身邊了。我睡覺時還聽見她哭，怎麼醒了就沒有了呢？我問，孩子呢？我媽要說什麼，我嬸兒接過去了，她瞥了我媽一眼，跟我和和氣氣的說：你的身子微，孩子哭，在你身邊吵，我抱到我屋去了。我說，噢。就又睡著了。」秀貞說到這兒停住了，我的辮子已經紮好，她又接著說：

「彷彿我聽我媽對我嬸說：不能讓她知道。眞讓人納悶兒，到底是怎麼檔子事兒？我怎麼到這兒就接不下去了呢？是她們把孩子給——？還是扔——絕不能夠！絕不能夠！」

我已經站起來，臉衝著秀貞看，她皺著眉頭，正呆呆的想。她說話常常都會忽然停住了，然後就低聲的說「眞是讓人納悶兒，到底是怎麼檔子事兒」的話。她收梳頭匣子的時候，我看見我送小桂子的手錶在匣子裡，她拿起手錶，放在掌心裡，又說：

「小桂子她爹也有個大懷錶，可是死了當了，當了那個錶，他才回的家，這份窮，就別提了！我當時就沒告訴他我有了，反正他去個把月就回來。他跟我媽說，放心，他回家賣了山底下的白薯地，就到北京來娶我。千山萬水，走一趟也不容易，我要是告訴他我有了，不也讓他惦記著！你不知道他那情意多深！我也沒告訴我媽我有了，說不出口，反正人歸了他了，等嫁了再說也不遲……」

「有了什麼？」我不明白。

「有了小桂子呀！」

「你不是剛說什麼沒有了嗎？」我更不明白。

「有了，沒了，有了，沒了，小英子，你怎麼跟我亂攪？你聽我給你算。」她把我給小桂子的錶收起來，然後用手指捏著算給我聽：

「他是春天走的。他走的那天，天兒多好，他提著那口箱子，都沒敢多看我，他的同鄉同學，有幾個送他到門口兒的，所以他就沒好再跟我說什麼。好在頭天晚上我給他收拾箱子的時候，我們倆也說得差不多了。他說，惠安的日子很苦，有辦法的都到海外謀生去了，那兒的地不肥，不能種什麼，白薯倒是種了不少。他們家，常年吃白薯，白薯飯、白薯粥、白薯乾、白薯條、白薯片，能叫外頭去的人吃出眼淚來。所以，他就捨不得讓我這個北邊人去吃那個苦頭兒。我說可不是，我媽就生我獨一個女兒，跟你去吃白薯，她怎麼捨得！他說，你是個孝女，我也是個孝子，萬一我母親扣住了我，不許我再到北京來了呢？我說，那我就追你去。

「送他到門口，看他上了洋車，抬頭看看天，一塊白雲彩，像條船，慢慢兒的往天邊兒上挪動，我彷彿上了船，心是飄的，就跟沒了主兒似的。

「我送他出去，回到屋裡來，噁心要吐，頭也昏，有點兒後悔沒告訴他這件事，想追出去，也來不及了。

「日子一天天的捱，他就始終沒回來，我肚子大了，瞞不住我媽，她急得盤問我，讓我說不出道不出的，可是我也顧不得害臊了，就告訴了我媽。我說，他總有一天回來，他不回來，我去！我媽聽了拿手堵住我的嘴，直說：姑娘，可別這麼說了，這份丟人呀！他真要是不回來，咱們可不能嚷嚷出去。就這麼，把我送回了海甸。

「小桂子生下來，眞不容易，我一點勁兒都沒有，就聞著窗戶外頭那棵桂花樹吹進來的一陣陣香氣，我心說，生個女的就叫小桂子。接生的姥娘婆叫我咬住了辮子，使勁，使勁，總算落了地，呱呱呱，哭聲好大呀！」

秀貞說到這兒，喘了一大口氣，她的臉色變青了，故事接不下去，就隨便說了，她說：

「小英子，你不心疼你三嬸嗎？」

「誰是三嬸？」

「我呀！你管思康叫三叔，我就是你三嬸，你還算不過這賬來。叫我一聲。」

「嗯——」我笑了，有些難爲情，但還是叫了她：「三嬸。秀貞。」

「你要是看見小桂子就帶她回來。」

「我怎麼知道小桂子什麼樣兒？」

「她呀，」秀貞閉上眼睛想著說：「粉嘟嘟的一個小肉團子，生下來我看見一眼了，我睡昏過去那陣兒，聽我媽跟姥娘婆說，瞧！這眞是造孽，脖子後頭正中間兒一塊青記，不該來，非要來，讓閻王爺一生氣用手指頭給戳到世上來的！小英子，脖子後頭中間有指頭大一塊青記，那就是我們小桂子，記住沒有？」

「記住了。」我糊裡糊塗的回答。

那麼，她現在問我說的事記住沒有，就是這件事嗎？我回答她說：「記住了，不是小桂子那塊青記的事嗎？」

秀貞點點頭。

秀貞把桌上的蠶盒收拾好，又對我說：

「趁著他睡覺，咱們染指甲吧。」她拉我到院子裡。牆根底下有幾盆花，秀貞指給我看，「這是薄荷葉，這是指甲草。」她摘下來了幾朵指甲草上的紅花，放在一個小瓷碟裡，我們就到房口兒台階上坐下來。她用一塊冰糖在輕輕的搗那紅花。我問她：

「這是要吃的嗎？還加冰糖？」

秀貞笑得呵呵的，說：

「傻丫頭，你就知道吃。這是白礬，哪兒來的冰糖呀！你就看著吧。」

她把紅花朵搗爛了，要我伸出手來，又從頭上拿下一根夾子，挑起那爛玩意兒，堆在我的指甲上，一個個堆了後，叫我張著手不要碰掉，她說等它們乾了，我的手指甲蓋兒就變紅了，像她的一樣，她伸出手來給我看。

我的手，張開了一會兒，已經不耐煩了，我說：

「我要回家去了。」

「你回家非弄壞了不可，別走，聽我給你講故事兒。」她說。

「我要聽三叔的故事兒。」

「小聲點兒，」她向我擺手，輕輕的說：「讓我先看看他醒過來沒有，他要不要喝水。」她進去了一下，又出來了，坐下後，手支撐在大腿上托著下巴頦兒，忽然向著槐樹發起呆來。

「說呀！你。」我說。

她驚了一下，「嗯？」好像沒聽見我的問話，但跟著眼淚掉下來了，「還說呢，人都沒影兒了，都沒影兒了！老的！小的！」

我一聲不響，她自己抽抽噎噎的哭了一會兒，才又大喘了一口氣，望我笑了，那淚坑！我就覺得在什麼地方看見過秀貞這個人，這個臉。

秀貞用手指抹抹淚，拉過我的手托在她的手上，這樣，我就輕鬆點，不覺得張開染指甲的手很累了。她又側起身子看著跨院門，好像在張望什麼人。她自言自語的說：

「就是這時節他來的，一捲鋪蓋，一口皮箱，搬進了這小屋裡。他身穿一件灰大褂，大襟上別著一枝筆。我正在屋裡沒打掃完呢！爹領他進來的，對他說，『會館裡正院房子都住滿了，陳家二老爺讓給您騰出這兩間小屋來。』他說：『好，好，這樣就很好。』爹給他打開行李，把那床又薄又舊的棉被攤開，我心想，他怎麼過這北京的大冷天？小英子，住在會館念書的學生，有幾個有錢的？有錢的就住公寓去了。我爹常說，想當年，陳家二老爺上京來考舉，還帶著個小碎催伺候筆墨呢！二老爺中了舉，在北京做官，就把這間會館大翻修了一回，到如今，窮學生上京來念書，都是找著二老爺說話。二老爺說，思康是他們鄉裡的苦學生，能念出書來，要我們把堆煤的這兩間小屋收拾了給他住。

「我還在趕著擦玻璃呢，沒正眼看他。我爹對他說，這床被呀！過不了冬。爹真愛管人家的事，他準是不好意思了，就亂嗯嗯啊啊的沒說出什麼來。爹又問他在哪家學堂，他說在北京大學，喝！我爹又說了，這趟不近，沙灘兒去了！可是個好學堂呀！

「爹幫著他收拾好了那幾件破行李，就出去了，臨走看見我還在擦玻璃，他說，行啦，姑娘。我跟出來了，回頭看了他一眼，誰知道他也正抬眼看我呢！我心裡一跳，邁門檻兒差點摔出去！看他那模樣兒，兩隻眼兒到底有多深！你還沒看清楚他，他就把你看穿了。回到屋裡來，我吃飯睡覺，眼前都擺著他的兩隻那麼樣看人的眼睛。這就是緣分，會館一年到頭，來來往往的大學生多得是，怎麼我就——我就……咳！」

秀貞的臉微微紅脹，抬起我的手，看我染的指甲乾了沒有，她輕輕的吹著我的指甲，眼皮垂下來，睫毛像一排小簾子，她問我：

「小英子，你明白了嗎？緣分。」她並不一定要我回答她，我也沒打算回答她，只是心裡想著，這樣的長睫毛，有一個人也有的，我想到西廂房我那位愛哭的朋友了。秀貞又接著嘮叨：

「我天天給他送開水去，這件事本該是我爹做的。早晚兩趟，我們燒了大壺開水，送到各屋裡給先生們洗臉、泡茶。爹走慣了正院，就是把跨院給忘了。有時候思康就自己到我們窗根底下來要。『長班。』他就是這麼輕輕叫一聲，『有滾水嗎？』爹這才想起來，趕緊給人家補送去。有時爹倒是沒等叫就想起來了，可是他懶得再走，就支使我去。一來二去，這件差事——到跨院送開水，彷彿就該是我做的了。

「我送水，一句話也沒跟他說過，我進了屋，他在書桌前坐著，就著燈看書呢，寫字呢，我就綳著臉兒，打開那茶壺蓋兒，刷——的，就聽見開水灌進壺的聲兒。他膽子小著呢，連眼都不敢斜過來，就那麼耷拉著眼皮坐著。有一天，我也好新鮮，往前挪了一步，微探著身子看他寫什麼，誰知他也扭過頭來了，說：『認得字嗎？』我搖了搖頭。打這兒起，我們倆就說話了。」

「那時小桂子在哪兒呢？」我忽然想起這個跟秀貞有關係的人。

「她呀！」秀貞笑了，「還沒影兒呢！對了？小桂子到底哪兒去了？你給找著沒有？那是我們倆的命根子呀！我還沒跟你說完呢，他有一天拉起我的手，就像我這麼拉你的手，說：『跟了我吧！』他喝了點兒酒，我也迷糊了，他喝酒是爲的取暖，兩間屋子，生一個小火，還時有時無的。那天風挺大，吹得門框直響，我爹跟我娘回海甸取地租去了，讓舅媽來陪我，她睡著了，我就溜到這跨院裡來。他的臉滾燙，貼著我的臉，他說了好多話，酒氣熏著我，我聞也聞醉了。

「他常愛喝點兒酒，驅驅寒意，我就偷偷的買了半空兒花生，送到他的屋裡來，給他下酒喝。北風打著窗戶紙，響得吹笛兒似的。我握著他的手，暖乎乎的兩個人，就不冷了。

「他病了，我一趟趟的跑，可瞞不住我媽了。那天我端著粥，要送給他吃，媽說：『避點兒嫌疑，姑娘，懂得不懂得？』我一聲也沒言語。」

我從秀貞的眼裡，彷彿看見了躺在屋裡床上的思康三叔了；他蓬著頭髮，喝水也沒力氣，吃飯也沒力氣，就哼哼著。

「後來呢？好了沒有？」我不由得問。

「不好怎麼走的？我可要倒下了！原來是小桂子來了！」

「在哪兒？」我轉回頭去看跨院門，並沒有人影兒。在我的幻想中，跨院門邊，應當站著一個女孩子；紅花的衫褲，一條像狗尾巴似的黃毛辮子，大大的眼睛，一排小簾子似的長睫毛，一閃一閃的，在向我招手呢！我頭有點昏，好像要倒下來，閉了一下眼睛，再睜開，門那邊，果然有個影子，越走越近了，那麼大的一個東西，原來——原來是秀貞的媽正向我招手，她說：

「秀貞，怎麼讓小英子在老爺兒裡曬著？」

「剛才這地方沒太陽。」秀貞說。

「快挪開，這邊兒不是有陰涼兒嗎？」秀貞的媽過來拉起我。

那幻影在我眼中消失了，我忽然又想起秀貞還沒講完的故事。我說：

「妞兒，不，小桂子在哪兒呢？你剛說的？」

秀貞噗哧笑了，指著她的肚子：

「在這兒呢，還沒生呢！」

秀貞的媽是來這院裡晾衣服的。一根繩子從樹枝上牽到牆那邊，她正一件件的往上晾。

秀貞看了說：

「媽，褲子晾在靠牆邊兒去吧，思康出來進去的不合適。」

王媽罵說：

「去你的！」

秀貞被她媽媽罵一句，並不生氣，又對我說：

「我媽倒是也疼思康，她跟我爹說，咱們沒兒子，你這老東西又沒念過書，有個讀書識字的人在咱們家也是好事兒。我爹這才答應了。我剛才說到哪兒啦！噢，他好了，我不是病了嗎？他就說都是他害得我，他不是說要娶我教我念書嗎？就在這時候，他家裡來了電報，他媽病了，叫他趕快回去。……」

「小英子，」王媽忽然截住秀貞的話，對我說：「你怎麼那麼愛聽她那顛三倒四的廢話？也眞怪，小孩子都怕她，躲著她，就是你不。」

「媽，您別攪，我這兒還沒說完呢！我還有事託小英子呢！」

老王媽不理她，只顧對我說：

「小英子，該回去了，剛才我聽見宋媽在胡同裡叫你，我不敢說你在這兒。」

老王媽說完拿著空盆走了。秀貞看見他媽媽走出了跨院門，才又說：「思康這一去，有：……」她扳著手指頭算：「有一個多月了，有六年多了，不，還有一個多月就回來，不，還有一個月我就生小桂子了。」

不管是六年，是一個多月，秀貞跟我一樣的算不清楚。她這時把我的手拿起來看看，就把指甲上的乾爛花剔開，喲，我的指甲都是紅的了！我高興極了，直笑直笑，擺弄我的手。

「小英子，」她又低聲說：「我有件事託你，看見小桂子就叫她來，一塊兒找她爹去，我們要是找到她爹，我病就好了。」

「什麼病？」我看著秀貞的臉。

「英子，人家都說我得了瘋病，你說我是不是瘋子？人家瘋子都滿地撿東西吃，亂打人，我怎麼會是瘋子，你看我瘋不瘋？」

「不。」我搖搖頭，眞的，我只覺得秀貞那麼可愛，那麼可憐，她只是要找她的思康跟妞兒——不，跟小桂子。

「他們怎麼都走了不回來了呢？」我又問。

「思康準是讓他媽給扣住了。小桂子呢，我也納悶是怎麼檔子事兒，沒在海甸，沒在我嬸兒屋裡。我一問，媽急了，說：『扔啦！留那麼一個南蠻子種兒幹嗎？反正他也不回來了，坑人！』我一聽，登時就昏倒了，醒了，他們就說我是瘋子。小英子，我千託萬託你，看見小桂子就帶她來，我什麼都預備好了。回去吧。」

我聽愣了，腦子裡好像有一幅畫，慢慢越張越大，我的頭也有點不舒服似的，我一邊答應：「好好，好好。」一邊跑出跨院，跑出惠安館，一路踢著小石塊，看著我手上的紅指甲，回到了家。

四

「看你臉曬得那麼紅！快來吃飯。」媽媽看見我滿頭大汗的回來，並沒有太責備我。

但是我只想喝水，不想吃飯，我灌了幾杯涼開水下去，坐到飯桌上，喘著氣，拿起筷子，可是看我自己的指甲玩。

「誰給你染的？」媽問。

「小妖精，小孩子染指甲，做唔得！」爸爸也半生氣的說。

「誰給你染的？」媽又問。

「嗯——」我想了一下。「思康三嬸。」我不敢，也不肯說秀貞是瘋子。

「跑到外面去認什麼阿叔阿嬸！」媽給我夾了一碟子菜，又對我說：「你叔叔說，還有一個月就要考小學了，你到底會數到什麼數了？算算看，不會數就考不上的。」

「一，二，三……十八，十九，二十，二十六……」我的腦筋實在有些糊塗，只想扔下筷子去床上躺一會兒，但是我不肯這樣做，因爲他們會說我有病了，不許我出去。

「亂數！」媽瞪了我一眼。「聽我給你算，二俗，二俗錄一，二俗錄二，二俗錄三，二俗錄素，二俗錄五……」

在旁邊伺候盛飯的宋媽首先忍不住笑了，跟著我和爸爸都哈哈大笑起來，我趁此扔下筷子，說：

「媽，你的北京話，我飯都吃不下了，二十，不是二俗；二十一，不是二俗錄一；二十二，不是二俗錄二……」

媽也笑了，說：

「好啦好啦，不要學我了。」

我沒有吃飯，爸媽都沒注意。大概剛才喝了涼開水，人好些了，我的頭已經不暈了。爸媽去睡午覺，我走到院子裡，在樹下的小板凳上坐著，看那一群被放出來的小油雞。小油雞長得很大了，正滿地的啄米吃。樹上蟬聲「知了知了」的叫，四下很安靜。我撿起一根樹枝子在地上畫，看見一隻油雞在啄蟲吃，忽然想起在惠安館捉的那瓶吊死鬼忘記帶回來。

我雖然這樣想著，但是竟懶得站起身來，好像要睏了，不由得閉上了眼睛，隨著俯下身子來；兩手抱住頭，深深的埋在大腿上。

在這像睡不睡的夢中，我的眼前一片迷亂；在跨院的樹下捉蠶，吊死鬼在玻璃瓶裡蠕動著，一會兒又變成了秀貞屋裡桌上的蠶，仰著頭在吐絲，好像秀貞把蠶放在胳膊上爬，一發癢，猛睜開眼抬起頭來看，原來是兩隻蒼蠅在我的胳膊上飛繞。我揚揚手轟開蒼蠅，又埋頭睡下了。這回是一盆涼水，順著我的脊背澆下來，涼颼颼的，我抱緊了頭，不行，又是一盆涼水從脖子上灌下來，又涼又濕，我說冷啊！旁邊有人格格的笑，我掙扎著站起來，猛下子醒了，睜開眼，鬧不清這是什麼時候了？因為天好像一下子暗了，記得我坐在這裡的時候是有太陽光的呀！站在我面前的是妞兒，她在笑，我還覺得脊背是濕的冷的，用手背向後面去摸，卻又不是濕的。但身上還是有些涼意，不禁打了一個哆嗦，隨著又打了兩個噴嚏，妞兒笑容收斂了，說：

「你怎麼了？傻乎乎的，睡覺直說夢話。」

我好像還沒醒過來，要站不住，便趕快又坐下來。這時雷聲響了，從遠處隆隆的響過來。對面的天色也像潑了墨一樣的黑上來，濃雲跟著大雷，就像一隊黑色的惡鬼大踏步從天邊壓下來。起了微微的風，怪不得我身上覺得涼。我不由得問妞兒說：

「你冷不冷？我怎麼這麼冷。」

妞兒搖搖頭，驚疑的看著我，問：

「你現在的樣子眞特別，好像嚇著了，還是挨打了？」

「沒有，沒有，」我說，「我爸爸只打我手心，從來不會像你爸爸，打你那麼兇。」

「那你到底是怎麼了呢？」她又指指我的臉：「好難看啊！」

「我一定是餓的，中午沒吃飯。」

這時候雷聲更大了，好大的雨點滴落下來，宋媽到院子來收衣服，把小雞趕到西廂房裡。我和妞兒也跟著進來。宋媽把小雞扣好在雞籠裡，就又跑出去，嘴裡還說著：

「要下大雨了，妞兒回不去了。」

宋媽出去了以後，可不是雨立刻下大了。我和妞兒倚著屋門看下雨。雨聲那樣大，嘩嘩巴巴的打落在磚地上，地上的雨水越來越多了，院子犄角雖然有一個溝眼，但是也擠不下那麼多的雨水。院子的水漲高了，漫過了較底的台階，水濺到屋門來，濺到我們的褲腳上了，我和妞兒看這兇狠的雨水看呆了，眼睛注視著地上，一句話也不講。忽然媽媽在北屋的窗內向我說話又揚手，話我聽不見，揚手的意思是叫我們不要站在門口被雨濺濕了。我和妞兒便依著媽媽的手勢進屋來，關上了門，跑到窗前向玻璃外面看。

「不知道要下多久？」妞兒問。

「你可回不去了。」我說完，連著又打了兩個噴嚏。

我望著屋裡，想找個地方倒下來，最好有一床被讓我臥在裡面。屋裡雖然有個舊床鋪，但是床上堆了箱子和花盆，而且滿是灰塵。我受不住了，不由得走向床那邊去，靠在箱子上。忽然想起妞兒存在空箱裡的兩件衣服，打開拿了出來。

妞兒也過來了，她問：

「你要幹麼？」

「幫我穿上，我冷了。」我說。

妞兒笑笑說：

「你好嬌啊！下一點雨，就又打噴嚏，又要穿衣服的。」

她幫我穿上一件，另一件我裹在腿上。我們坐在一塊洗衣板上，擠在牆角，這樣我好像舒服一些。但是妞兒卻心疼被我裹在腿上的衣服，說：

「我就這兩件衣服，別給我拉扯壞了呀！」

「小器鬼，你媽給你做了好多衣服呢！借我一件都捨不得！」也許我的頭又發暈，不知怎麼，嘴裡說妞兒的媽，心裡可想到秀貞屋裡炕桌上一包小桂子的衣服。

妞兒瞪大了眼，指著她自己的鼻子說：

「我媽？給我做好多衣服？你睡醒了沒有？」

「不是，不是，我說錯了，」我仰起頭，靠在牆上，閉上眼，想了一下才說：

「我是說秀貞。」

「秀貞？」

「我三嬸。」

「你三嬸，那還差不多，她給你做了好多衣服，多美呀！」

「不是給我做，是給小桂子做的。」我轉過頭，對著妞兒的臉看，她的一個臉，被我看成兩個臉，兩個臉又合成一個臉。是妞兒，還是小桂子，我分不清了，我心裡想的，有時不是我嘴裡說的，我的心好像管不住我的嘴了。

「幹麼這麼瞪我？」妞兒驚奇的把頭略微閃躲了我一下。

「我在想一個人，對了，妞兒，講講你爸跟你媽的故事吧！」

「他們有什麼可講的！」妞兒撇了一下嘴，「我爸爸在前清家有皇上的時候，不用做事一天到晚吃喝玩樂，後來前清家沒有了，他就窮了，又不會做事，把錢花光了，就靠拉胡琴賺錢，他教我唱戲，恨不得我一下子就唱得跟碧雲霞那麼好，那麼賺錢。——嘿！小英子，我現在上天橋唱戲去了，圍一圈子人聽，唱完了我就捧著個小籮筐跟人要錢，一要錢人都溜了，回來我爸爸就揍我！他說，給錢的都是你爺爺，你得擺個笑臉兒，瞧你這份兒喪！說著他就拿棍子掄我。」

「你說的那個碧雲霞也在天橋唱呀？」

「哪兒呀！人家在戲園子裡唱，城南遊藝園，離天橋也不遠，聽碧雲霞的才都是大爺哪！可是我爸爸常說，在戲園子唱的，有好些是打天橋唱出來的。他就逼著我學，逼著我唱。」

「你不是也很愛唱嗎？怎麼說是他逼的？」

「我愛隨我自己，願意唱就唱，願意給誰聽就給誰聽，那才有意思。就比如咱們倆在這屋裡，我唱給你聽。」

是的，我想起剛認識妞兒的那天，油鹽店的夥計要她唱，她眼睛含著淚的那樣子。

「可是你還得唱呀！你不唱賺不了錢怎麼辦！」

「我呀，哼！」妞兒狠狠的哼了一聲，「我還是要找我親爹親媽去！」

「那麼你怎麼原來不跟你親爹親媽在一起呢？」這是我始終不明白的一件事。

「誰知道！」妞兒猶豫著，要說不說的樣子。外面的雨還是那麼大，天像要塌下來，又像天上有一個大海的水都倒到地上來。

「有一天，我睡覺了，聽我爸跟我媽吵架。我爸說：『這孩子也夠拗的，嗓門兒其實挺好，可是她說不玩就不玩，可有什麼辦法呢！』我那瘸子媽說：『你越揍她，越不管事兒。』我爸說：『不揍她，我怎麼能出這口氣！撿來的時候還沒冬瓜大，我捧著抱著帶回家，而今長得比桌子高了，可是不由人管了。』我媽說：『你當初把她撿回來就錯了主意，跟親生親養的到底不一樣，說老實話，你也沒按親生的那麼疼她，她也不能拿你當親爹那麼孝順。』我爸歎了口氣，又說：『一晃兒五、六年了！我那天也眞邪行，走到齊化門臉兒屎急了。』我媽說：『是呀，你說一大早兒撿點煤核來燒，省得讓人看見怪寒磣的，每天你不都是起來先出恭後才漱口洗臉嗎？那天你忙得沒上茅房，饒著煤核沒撿回來，倒撿了個不知誰家私生的小崽子來。』我爸又說：『我想著找城根底下蹲蹲吧，誰知道就看見個小包袱了呢！我先還以爲我要發邪財，打開一看，敢情是她，活玩意兒，小眼還咕碌咕碌直轉哪！』我媽媽說：『哼！你而今打算在她身上發財，趕明兒唱得跟碧雲霞那麼紅，可不易。』……」

我又閉上眼睛，仰頭靠著牆聽妞兒絮絮叨叨的說，我好像聽過這故事，是誰講的呢？還說大清早就把那孩子裹包裹包扔到齊化門城根去？也許我是做夢，我現在常常做夢，宋媽說我白天玩瘋了晚飯又吃撐了，才又咬牙又撒囈症的。是嗎？我就閉著眼問妞兒：

「妞兒，你跟我說了好幾遍這故事啦！」

「胡說，我跟誰也沒說過，我今兒頭一回跟你說。你有時候糊裡糊塗的，還說要上學呢！我瞧你考不上。」

「可是，我眞是知道的呀！你生的那時候，正是青草要黃了，綠葉快掉了，那不冷不熱的秋天，可是窗戶外頭倒是飄進來一陣子桂花的香氣。……」

妞兒推推我，我睜開眼，她奇怪的問：

「你在說什麼？是不是又睡著了撒囈症？」

「我剛才說了什麼？」我有些忘了，剛才也許是在夢中。

妞兒摸摸我的頭，我的胳膊，她說：「你好燙啊！衣服穿多了吧！把我的衣服脫下來吧！」

「哪裡熱，我心裡好冷啊！冷得我直想打哆嗦！」我說著，看自己的兩條腿，果然抖起來。

妞兒看看窗外說：

「雨停了，我該回去了。」

她要站起來，我又拉住她，摟住她的脖子說：

「我要看你後脖子上的那塊青記，小桂子，你媽說你後脖上有塊青記，讓我找找……」

妞兒略微的掙開我，說：「你怎麼今天總說小桂子小桂子的？你現在這樣兒，就像我爸喝醉了說胡話一樣！」

「是呀！你爸爸就愛喝口酒，冬天爲的驅驅寒意，那天風挺大，你媽給他打了點兒酒又買了半空兒花生。……」

我糊裡糊塗的說著，拉開妞兒那條狗尾巴小辮兒，可不是，可不是，恍恍惚惚的，我看見在那雜亂的黃頭髮根裡面，中間是有一塊指頭大的青記。我渾身都抖起來了。

妞兒把她的臉貼在我的臉上，驚奇的說：

「你怎麼啦？你的臉好熱啊！都紅了，是不是病了？」

「沒有，我沒病。」我這時精神起來了，但是妞兒把我摟在她的懷裡，我正好看到妞兒尖尖的下巴。她低下頭來，一對大眼睛裡，忽然含滿了淚。我也好像有什麼委屈，實在我是覺得頭發重，支持不住了。妞兒這麼摟著我，摸撫著我，一種親愛的感覺，使我流出淚來了。妞兒說：

「英子，好可憐，身上這麼燙！」

我也說：

「你也好可憐，你的親爹，親媽——啊，妞兒，我帶你找你的親媽去，你們再一塊兒去找你親爹。」

「上哪兒找去？你睡覺吧，我怕你，你別瞎說了。」說著，她又摟緊我，拍哄我。但是我聽了她的話，立刻從她懷裡掙扎起來，喊著說：

「我不是瞎說！我是知道你親媽在哪兒，就在不遠，」我又摟著她的脖子在她耳旁小聲說：「我一定要帶你去，你親媽說的，教我看見你就帶你去，就是，不錯，脖子後面有塊青記的嘛！」

她又奇怪的望著我，好一會兒才說：

「你的嘴好臭，一定是吃多了上火。可是，眞的有這回事兒嗎？……你說我親媽？」

我看著她那驚奇的眼睛，點點頭。她的長睫毛是濕的，我一說，她微笑了，眼淚流到淚坑上！我覺得難過，又閉上眼，眼前冒著金星，再睜開眼，她變成秀貞的臉了，我抹去了眼淚再仔細看，還是妞兒的。我這時又管不住我的嘴了，我說：

「妞兒，晚上你吃完飯來找我，咱們在橫胡同口見面，我就帶你上秀貞那兒去，衣服你也不用帶，她給你做了一大包袱，我還送了你一隻手錶，給你看時候。」

我也要送秀貞一點東西。」

這時我聽見媽在叫我。原來雨停了，天還是陰的，妞兒說：

「你媽叫你呢！咱們先別說了，那就晚上見吧！」說著她就站起身，匆匆的推門出去了。

我很高興，所以有一股力氣站起來了，脫下妞兒的衣服，扔在雞籠上。我推門出去，院子裡一陣涼風吹著我，地上滿是水，媽媽叫我順著廊簷走，可是我已經淌水過來了。媽媽拉起我的手，剛想罵我吧，忽然她又兩手在我手上、身上、頭上亂按，驚慌的說：

「怎麼渾身這樣燒，病了，看是不是？中午從大太陽底下曬回來，臉通紅，剛才又淋了雨，現在又淌水。水，總是要玩水！去躺下吧！」

我也覺得渾身沒有力氣了，隨著媽媽把我拖到小床來。她給我脫了濕的鞋，換了乾的衣服；把我安置在床上躺下來，裹在軟綿綿的被裡，我的確很舒服，不由得閉上眼睛就睡著了。

醒來的時候，覺得熱了，踢開了被。這時屋裡漆黑，隔著布簾子空隙，可以看見外屋已經點了燈。我忽然想起一件要緊的事，大聲叫：

「媽，你們是不是在吃飯？」

「這樣混，她居然要吃飯呢！」是爸爸的聲音。跟著，媽媽進來了，端進來煤油燈放在桌上。我看見她的嘴還動著，嘴唇上有油，是吃了「回肉」嗎？

媽媽到床前來，嚇唬著我說：「你爸要打你了，玩病了還要吃。」

我急了，說：

「我不是要吃飯，我今天根本一天沒吃飯呀！就是問問你們吃飯了沒有？我還有事呢！」

「鬼事！」媽媽把我又按著躺下，說：「身上還這麼熱，不知道你燒到多少度了，吃完飯我去給你買藥。」

「我不吃藥，你給我藥吃，我就跑走，你可別怪我。」

「瞎說！等一會兒宋媽吃完飯，叫她給你煮稀粥。」

媽不理會我的話，她說完就又回外屋去吃飯了。我躺在床上，心裡著急，想著和妞兒約會好吃完飯在橫胡同口見面，不知道她來了沒有？細聽外面又有淅淅瀝瀝的雨聲，雖然不像白天那樣大，可是橫胡同裡並沒有可躲雨的地方，因爲整條胡同都是人家的後牆。我急得胸口發痛，揉搓著，咳嗽了，一咳嗽，胸口就像許多針扎著那麼痛。

媽媽這時已經吃完飯，她和爸爸進來了。我的手按著嘴唇，是想用力壓著別再咳嗽出來，但是手竟在嘴上發抖；我發抖，不是因爲怕爸爸，我今天從下午起一直在抖，腿在抖，手也抖，心也抖，牙也抖。媽媽這時看見我發抖的樣子，拿起我放在嘴唇上的手，說：

「燒得發抖了，我看還是給你去請趟山本大夫吧！」

「不要！不要那個小日本兒！」

爸爸這時也說：

「明天早晨再說吧，先用冰毛巾給她冰冰頭管事的。我現在還要給老家寫信，趕著明天早上發出去呢！」

宋媽也進來看我了。她向媽媽出主意說：

「到菜市口西鶴年堂家買點小藥，萬應錠什麼的，吃了睡個覺就好。」

媽媽很聽話，她向來就聽爸爸的話，也聽宋媽的話，所以她說：

「那好嘛，宋媽，我們倆上街去買一趟。英子，乖乖的躺著，吃了藥趕快好了好上學。等著，我還順便到佛照樓帶你愛吃的八珍梅回來。」

現在，八珍梅並不能打動我了，我聽媽和宋媽撐了傘走了，爸爸也到書房去了，我滿心想著和妞兒的約會。她等急了嗎？她會失望的回去了嗎？

我從被裡爬出來，輕手輕腳的下了地，頭很重，又咳嗽了，但是因爲太緊張，這回並沒有覺到胸口痛。我走到五屜櫥的前面站住了，猶豫了一會兒，終於大膽的拉開了媽媽放衣服的那個抽屜，在最裡面，最下面，是媽媽的首飾匣。媽媽開首飾箱只挑爸爸不在家的時候，她並不瞞我和宋媽的。

首飾匣果然在衣服底下壓著，我拿了出來打開，媽媽新打的那隻金鐲在裡面！我心有點兒跳，要拿的時候，不免向窗外看了一眼，玻璃窗外黑漆漆的，沒有人張望，但是可以照到我自己的影子。我看見我怎樣拿出金鐲子，又怎樣把首飾匣放回衣服底下，推閤了抽屜，我的手是抖的。我要給秀貞她們做盤纏，媽媽說，二兩金子值好多好多錢，可以到天津、到上海、到日本玩一趟，那麼不是更可以夠秀貞和妞兒到惠安去找思康三叔嗎？這麼一想，我覺得很有理，便很放心的把金鐲子套在我的胳膊上面了。

我再轉過頭，忽然看玻璃窗上，我的影子清楚了，不！嚇了我一跳，原來是妞兒！她在向我招手，我趕快跑了出去，妞兒頭髮濕了，手上也有水，她小聲的對我說：

「我怕你真在橫胡同等我，我吃完飯就偷偷跑出來了。我等了你一會兒，想著你不來了，我剛要回去，聽見你媽跟宋媽過去了，好像說給誰買藥去，我不放心你，來看看，你們家的大門倒是沒拴上，我就進來了。」

「那咱們就去吧！」

「上哪兒去？就是你白天說的什麼秀貞呀？」

我笑著向她點了頭。

「瞧你笑得怕人勁兒！你病糊塗了吧！」

「哪裡！」我挺起胸脯來，立刻咳嗽了，趕快又彎下身子來才好些，我把手搭在她的肩上說：「你一去就知道了，她多惦記你啊！比著我的身子給你做了好些衣服。對了，妞兒，你心裡想著你親媽是什麼樣兒？」

「她呀，我心裡常常想，她要是眞的思念我，也得像我這麼瘦，臉是白白淨淨的……」

「是的，是的，你說得一點兒都沒錯兒。」我倆一邊說著，一邊向門外去，門洞黑乎乎的，我摸著開了門，有一陣風夾著雨吹進來，吹開了我的短褂子，肚皮上又涼又濕，我仍是對她說：

「你媽媽，她薄薄的嘴唇，一笑，眼底下就有兩個淚坑，一哭，那眼睛毛又濕又長，她說：小英子，我千託萬託你……」

「嗯。」

「她說，小桂子可是我們倆的命根子呀！……」

「嗯。」

「她第一天見著我，就跟我說，見著小桂子，就叫她回來。飯不吃，衣服也不穿，就往跑，急著找她爹去……」

「嗯。」

「她說，叫她回來，我們娘兒倆一塊兒去，就說我不罵她……」

「嗯。」

我們倆已經走到惠安館門口了，妞兒聽我說，一邊「嗯，嗯」的答著，一邊她就抽答著哭了，我摟著她，又說：

「她就是……」我想說瘋子，停住了，因爲我早就不肯稱呼她是瘋子了，我轉了話口說：「人家都說她想你想瘋啦！妞兒，你別哭，我們進去。」

妞兒這時好像什麼都不顧了，都要我給她出主意，她只是一邊走，一邊靠在我的肩頭哭，她並沒有注意這是什麼地方。

上了惠安館的台階，我輕輕的一推，那大門就開了，秀貞說，惠安館的大門，前半夜都不拴上，因爲有的學生回來得很晚。一扇門用槓子頂住，那一半就虛關著。我輕聲對妞兒說：

「別出聲。」

我們輕輕的，輕輕的走進去，經過門房的窗下，碰到了房簷下的水缸蓋子，有了響，裡面的秀貞的媽問：

「誰呀？」

「我，小英子！」

「這孩子！黑了還要找秀貞，在跨院裡呢！可別玩太晚了，聽見沒有？」

「嗯。」我答應著，摟著妞兒向跨院走去。

我從來沒有黑天以後來這裡，推開跨院的門，吱呀的一聲響，像用一根針劃過我的心，怎麼那麼不舒服！雨地裡，我和妞兒邁步，我的腳碰著一個東西，低頭看是我早晨捉的那瓶吊死鬼，我拾起來，走到門邊的時候，順手把它放在窗台上。

裡屋點著燈，但不亮。我開開門，和妞兒進去，就站在通裡屋的門邊。我拉著妞兒的手，她的手也直抖。

秀貞沒理會我們進來，她又在床前整理那口箱子，背向著我們，她頭也沒回的說：

「媽，您不用催我，我就回屋睡去，我得先把思康的衣服收拾好呀！」

秀貞以爲進來的是她的媽媽，我聽了也沒答話，我不知道怎麼辦好了，我想說話，但抽了口氣，話竟說不出口，只愣愣的看著秀貞的後背，辮子甩到前面去了，她常常喜歡這樣，說是思康三叔喜歡她這樣打扮，喜歡她用手指繞著辮梢玩的樣子，也喜歡她用嘴咬辮梢想心思的樣子。

大概因爲沒有聽見我的答話吧？秀貞猛的回轉身來「喲」的喊了一聲，「是你，英子，這一身水！」她跑過來，妞兒一下子躲到我身後去了。

秀貞蹲下來，看見我身後的影子，她瞪大了眼睛，慢慢的，慢慢的，側著頭向我身後看，我的脖子後面吹過來一口一口的熱氣，是妞兒緊挨在我背後的緣故，她的熱氣一口比一口急，終於哇的一聲哭出來，秀貞這時也啞著嗓子喊叫了一聲：

「小桂子！是我苦命的小桂子！」

秀貞把妞兒從我身後拉過去，摟起她，一下就坐在地上，摟著、親著、摸著妞兒。妞兒傻了，哭著回頭看我，我退後兩步倚著門框，想要倒下去。

過了好一會兒，秀貞才鬆開妞兒，又急急的站起來，拉著妞兒到床前頭去，急急的說：

「這一身濕！換衣服，咱們連夜的趕，準趕得上，聽！」是靜靜的雨夜裡傳過來一聲火車的汽笛聲，尖得怕人。秀貞仰頭聽著想了一下又接著說：「八點五十有一趟車上天津，咱們再趕天津的大輪船，快快快！」

秀貞從床上拿出包袱，打開來，裡面全是妞兒，不，小桂子，不，妞兒的衣服。秀貞一件一件給妞兒穿上了好多件。秀貞做事那樣快，那樣急，我還是第一回看見。她又忙忙叨叨的從梳頭匣子裡取出了我送給小桂子的手錶，上了上弦給妞兒戴上。妞兒隨秀貞擺弄，但眼直望著秀貞的臉，一聲也不響，好像變呆了。我的身子朝後一靠，胳膊碰著牆，才想起那隻金鐲子。我撩起袖子，從胳膊上把金鐲子褪下來，走到床前遞給秀貞說：

「給你做盤纏。」秀貞毫不客氣的接過去，立刻套在她的手腕上，也沒說聲謝謝，媽媽說人家給東西都要說謝謝。

秀貞忙了好一陣子，亂七八糟的東西塞了一箱子，然後提起箱子，拉著妞兒的手，忽然又放下來，對妞兒說：「你還沒叫我呢，叫我一聲媽。」秀貞蹲下來，摟著妞兒，又扳過妞兒的頭，撩開妞兒的小辮子看她的脖子後頭，笑說：「可不是我那小桂子，叫呀！叫媽呀！」

妞兒從進來還沒說過一句話，她這時被秀貞摟著、問著，竟也伸出了兩手，繞著秀貞的脖子，把臉貼在秀貞的臉上，輕輕難為情的叫：

「媽！」

我看見她們兩個人的臉，變成一個臉，又分成兩個臉，覺得眼花，立刻閉住眼扶住床欄，才站住了。我的腦筋糊塗了一會兒，沒聽見她們倆又說了什麼，睜開眼，秀貞已經提起箱子了，她拉起妞兒的手，說：「走吧！」妞兒還有點認生，她總是看著我的行動，伸出手來要我，我便和她也拉了手。

我們輕手輕腳的走出去，外面的雨小些了，我最後一個出來，順手又把窗台上的那瓶吊死鬼拿在手裡。

出了跨院門，順著門房的廊簷下走，這麼輕，腳底下也還是噗吱噗吱的有些聲音。屋裡秀貞的媽媽又說話了：

「是英子呀？還是回家去吧！趕明再來玩。」

「噯。」我答應了。

走出惠安館的大門，街上漆黑一片，秀貞雖然提著箱子拉著妞兒，但是她們竟走得那樣快，秀貞還直說：

「快走，快走，趕不上火車了。」

出了椿樹胡同口，我追不上她們了，手扶著牆，輕輕的喊：

「秀貞！秀貞！妞兒！妞兒！」

遠遠的有一輛洋車過來了，車旁暗黃的小燈照著秀貞和妞兒的影子，她倆不顧我還在往前跑。秀貞聽我喊，回過頭來說：「英子，回家吧，我們到了就給你來信，回家吧！回家吧……」

聲音越細越小越遠了，洋車過去，那一大一小的影兒又蒙在黑夜裡。我趴著牆，支持著不讓自己倒下去，雨水從人家的房簷直落到我頭上、臉上、身上，我還啞著嗓子喊：

「妞兒！妞兒！」

我又冷，又怕，又捨不得，我哭了。

這時洋車從我的身旁過去，我聽車篷裡有人在喊：

「英子，是咱們的英子，英子……」

啊！是媽媽的聲音！我哭喊著：

「媽啊！媽啊！」

我一點力氣沒有了，我倒下去，倒下去，就什麼都不知道了。

五

遠遠的，遠遠的，我聽見一群家雀兒在叫，吱吱喳喳、吱吱喳喳。那聲音越來越近了……不是家雀兒，是一個人，那聲音就在我耳邊。她說：

「……太太，您別著急了，自己的身子骨也要緊，大夫不是說了準保能醒過來嗎？」

「可是她昏昏迷迷的有十天了！我怎麼不著急！」

我聽出來了，這是宋媽和媽媽在說話。我想叫媽媽，但是嘴張不開，眼睛也睜不開，我的手、我的腳、我的身子，在什麼地方哪？我怎麼一動也不能動，也看不見自己一點點？

「這在俺們鄉下，就叫中了邪氣了。我剛又去前門關帝廟給燒了股香，您瞧，這包香灰，我帶回來了，回頭給她灌下去，好了您再上關帝廟給燒香還個願去。」

媽媽還在哭，宋媽又說：

「可也眞怪事，她怎麼一拐能拐了倆孩子走？咱們要是晚回來一步，英子就追上去了，唉！越想越怕人，乖乖巧巧的妞兒！唉！那火車，倆人一塊兒，唉！我就說妞兒長得俊倒是俊，就是有點薄相……」

「別說了，宋媽，我聽一回，心驚一回。妞兒的衣服呢？」

「雞籠子上扔的那兩件嗎？我給燒了。」

「在哪兒燒的？」

「我就在鐵道旁邊燒的。唉！挺俊的小姑娘！唉！」

「唉！」

兩個人唉聲歎氣的，停了一會兒沒說話。

等再聽見茶匙攪著茶杯在響，宋媽又說話了：

「這就灌吧？」

「停一會兒，現在睡得挺好，等她翻身動彈時再說——家裡都收拾好了？」媽問。

「收拾好了，新房子眞大，電燈今天也裝好了，這回可方便嘍！」

「搬了家比什麼都強。」

「我說您都不聽嘛！我說惠安館房高牆高，咱們得在門口掛一個八卦鏡照著它，你們都不信。」

「好了，不必談了，反正現在已經離開那倒楣的地方就是了。等英子好了，什麼也別跟她說，回到家，換了新地方，讓她把過去的事兒全忘了才好，她要問什麼，都裝不知道，聽見了沒有？宋媽。」

「這您不用囑咐，我也知道。」

他們說的是什麼，我全不明白，我在想，這是怎麼回事兒？有什麼事情不對了嗎？我想著想著覺得自己在漸漸的升高，升高，我是躺在這裡，高、高、高，鼻子要碰到屋頂了，「呀！」我渾身跳了一下，又從上面掉下來，一驚疑就睜開了眼睛，只聽宋媽說：

「好了，醒了！」

媽媽的眼睛又紅又腫，宋媽也含著眼淚。但是我仍說不出話，不知怎麼樣才可以張開嘴。這時媽媽把我摟抱起來，捏住我的鼻子，我一張嘴，一匙水就一下給我灌了下去，我來不及反抗，就嚥下了，然後我才喊：

「我不吃藥！」

宋媽對媽說：

「我說靈不是？我說關帝老爺靈驗不是？喝下去立刻會說話。」

媽給我抹去嘴邊的水，又把我弄躺下來。我這時才奇怪起來，看看白色的屋頂、白色的牆壁、白色的門窗和桌椅，這是什麼地方？我記得我是在一個？……我問媽媽說：

「媽，外面在下雨嗎？」

「哪兒來的雨，是個大太陽天呀！」媽說。

我還是愣愣的想，我要想出一件事情來。

這時宋媽挨到我身邊來，她很小心的問我：

「認得我嗎？英子！」

我點點頭：「宋媽。」

宋媽對媽笑笑。媽又說：

「你發燒病了十天了，爸爸和媽媽把你送到醫院來住，等你好了，我們就回到新的家去，新的家還裝了電燈呢！」

「新的家？」我很奇怪的問。

「新的家，是呀！我們的新家在新簾子胡同，記著，老師考你的時候，問你家住在哪兒？你就說，新——簾——子胡同。」

「那麼……」有些事情我實在想不起來了，所以要說什麼，也不能接下去，我就閉上眼睛。媽說：

「再睡會兒也好，你剛好還覺得累，是不是？」媽媽說著就摩撫我的嘴巴、我的眼皮、我的頭髮，忽然一個東西一下碰了我的頭，疼了一下，我睜開眼看，是媽媽手上套的那隻——那隻金鐲子！我不由得驚喊了一聲：「鐲子！」媽沒說什麼，把金鐲子又推到手腕上去。我的眼睛直望著媽媽的金鐲子，心想著，這隻金鐲子不是——不就是我給一個人的那隻嗎？那個人叫什麼來著？我糊塗了，但不敢問，因爲我現在不能把那件事記得很清楚。我怎麼就生病，就住到這醫院裡來了呢？我是一點兒也不清楚。

媽媽拍拍我說：

「別發呆了，看你發燒睡大覺的時候，多少人給你送吃的、玩的東西來！」

媽媽從床頭的小桌上拿起來一個很好看的匣子，放在枕邊，一邊打開來，一邊說：

「匣子是劉婆婆給你買的，留著裝東西用，裡面，喏，你看，這珠鍊子是張家三姨送你的。喏，這隻自動鉛筆是叔叔給你的。你自己玩吧！」她便轉頭跟宋媽說話去了。

我隨著媽媽的說明，一件件從匣裡拿出來看，我再摸出來的是一隻手錶，上面鑲了幾顆鑽，啊！這是我自己的東西！但是——我手舉著錶，一動也不動的看著，想著，它怎麼會在這隻匣子裡？它不是也被我送給人了嗎？

「媽！」我不禁叫了一聲，想問問。媽回過頭看見，連忙接過錶去，笑著說道：

「看，這隻錶我給你修理好了，你聽！」

媽把錶挨近我的耳朵，果然發出小小滴答滴答的聲音。然而這時我想起了一些事情，我想起了一個人，又一個人。她們的影子，在我眼前晃。

「媽！」我再叫一聲還想問問。

媽媽慌忙的又從匣子拿出別的玩意兒來哄我：

「喏，再看這個，是……」

我忽然想起好些事情來了，我跟一個人，還有一個人的事情，但是媽媽爲什麼那樣慌慌忙忙的不許人問？現在我是多麼的思念她們兩個啊！我心裡太難受，眞想哭，我忽然翻身伏在枕頭上，就忍不住大聲的哭起來。我哭著，嘴裡喊：「爸爸！爸爸！」

媽媽和宋媽趕著來哄我，媽媽說：

「英子想爸爸了，爸爸知道多高興，他下班就會來看你！」

宋媽說：

「孩子委屈嘍，孩子這回受大委屈嘍！」

媽媽把我抱起來摟著我，宋媽拍著我，她們全不懂得我！我是在想那兩個人呀！我做了什麼不對的事嗎？我很怕！爸爸，爸爸，你是男人，你應當幫助我啊！我是爲了這個才叫爸爸的。

我哭了一陣子很累了，閉上眼睛偎在媽媽的懷裡。媽媽輕輕搖著我，低聲唱她的老家的歌：

「天烏烏，要落雨，老公仔舉鋤頭巡水路，巡著鯽仔魚要娶某，龜舉燈，鱉打鼓……」她又唱：

「ㄏㄧㄏㄨㄟ，飼閹雞，閹雞飼大隻，刣給英子吃，英子吃不夠，去後尾門仔瞇瞇哭！」那輕輕的搖動使我舒服多了，聽到這兒，我不由得睜開眼笑了。媽媽很高興的親著我的臉說：

「笑了，笑了，英子笑了。宋媽已經把家裡的油雞殺了給你煮湯喝呢！」

宋媽從桌底下拿出一隻小鍋，打開來還冒著熱氣，她盛了一碗黃黃的湯還有幾塊肉，遞到我面前，要我喝下去。我別過臉去不要看，不要吃。碗裡是西廂房的小油雞嗎？我曾經摸著牠們的黃黃軟軟的羽毛，曾經捉來綠色的吊死鬼餵牠們，曾經有一個長長睫毛大眼睛裡的淚滴落在牠們的身上……我不說什麼，把頭鑽進媽媽的胸懷裡。媽媽說：

「她不想吃，再說吧，剛醒過來，是還沒有胃口。」

我在醫院住了十幾天，剛可以起床伏在樓窗口向下面看望，爸爸就雇來一輛馬車，把我接回家。

馬車是敞篷的，一邊是爸，一邊是媽，我坐在中間，好神氣。前面坐了兩個趕馬車的人，爸爸催他們快一點，皮鞭子抽在馬身上，馬蹄子得得得得，得得得得，一路跑下去。馬車所經過的路，我全都不認識。這條大街長又長，好像前面沒盡沒了。

我覺得很新鮮，轉身臉向著車後，跪在座位上，向街上呆呆的看。兩邊的樹一棵一棵的落在車後面，是車在走呢？是樹在走呢？

我仰起頭來，望見了青藍的天空，上面浮著一塊白雲彩，不，一條船。我記得她說：「那條船，慢慢兒的往天邊上挪動，我彷彿上了船，心是飄的。」她現在在船上嗎？往天邊兒上去了嗎？

一陣小風吹散開我的前劉海，經過一棵樹，忽然聞見了一陣香氣。我回頭看媽媽，心裡想問：「媽，這是桂花香嗎？」我沒說出口，但是媽媽竟也嗅了嗅鼻子對爸爸說：

「這叫做馬纓花，清香清香的！」她看我在看她，就又對我說：「小英子，還是坐下來吧，你這樣跪著腿會疼，臉向後風也大。」

我重新坐正，只好看趕馬車的人狠心的抽打他的馬。皮鞭子下去，那馬身上會起一條條的青色的傷痕嗎？像我在西廂房裡，撩起一個人的袖子，看見她胳膊上的那樣的傷痕嗎？早晨的太陽，照到西廂房裡，照到她那不太乾淨的臉上，那又濕又長的睫毛一閃動，眼淚就流過淚坑淌到嘴邊了！我不要看那趕車人的皮鞭子！我閉上眼，用手蒙住了臉，只聽那得得的馬蹄聲。

太陽照在我身上，熱得很，我快要睡著了，爸爸忽然用手指逗逗我的下巴說：

「那麼愛說話的英子怎麼現在變得一句話都沒有了呢？告訴爸，你在想什麼？」

這句話很傷了我的心嗎？怎麼一聽爸說，我的眼皮就眨了兩下；碰著我蒙在臉上的手掌，濕了，我更不敢放開我的手。

媽媽這時一定在對爸爸使眼色吧？因爲她說：

「我們小英子在想她將來的事呢！……」

「什麼是將來的事？」從上了馬車到現在，我這才說第一句話。

「將來的事就是英子要有新的家呀，新的朋友呀，新的學校呀……」

「從前的呢？」

「從前的事都過去了，沒有意思了，英子都會慢慢忘記的。」

我沒有再答話，不由得再想——西廂房的小油雞，井窩子邊閃過來的小紅襖，笑時的淚坑，廊簷下的缸蓋，跨院裡的小屋，炕桌上的金魚缸，牆上的胖娃娃，雨水中的奔跑……一切都算過去了嗎？我將來會忘記嗎？

「到了！到了！英子，新簾子胡同到了，新的家到了！快看！」

新的家？媽媽剛說這是「將來」的事，怎麼這麼快就到眼前了？

那麼我就要放開蒙在臉上的手了。

我們看海去

一

媽媽說的，新簾子胡同像一把湯匙，我們家就住在靠近湯匙的底兒上，正是舀湯喝時碰到嘴唇的地方。於是爸爸就教訓我，他繃著臉，瞪著眼說：

「講唔聽！喝湯不要出聲，噝噝噝的，最不是女孩兒家相。舀湯時，湯匙也不要把碗碰得噹噹噹的響。……」

我小心小心的拿著湯匙，輕慢輕慢的探進湯碗裡，爸又發脾氣了：

「小人家要等大人先舀過了再舀，不能上一個菜，你就先下手，」他又轉過臉向媽媽：「你平常對孩子全沒教習，也是不行的。……」

我心急得很，只想趕快吃了飯去到門口看方德成和劉平踢球玩，所以我就喝湯出了聲，舀湯碰了碗，菜來先下手。我已經吃飽了，只好還坐在飯桌旁，等著給爸爸盛第二碗飯。爸爸說，不能什麼都讓傭人做，他這麼大的人，在老家時，也還不是吃完了飯仍站在一旁，聽著爺爺的教訓。

我趁著給爸爸盛好飯，就溜開了飯桌，走向靠著窗前的書桌去，只聽媽媽悄悄對爸爸說：

「也別把她管的這麼嚴吧，孩子才多大？去年惠安館的瘋子把她嚇得那麼一大場病，到現在還有膽小的毛病，聽見你大聲罵她，她就一聲不言語，她原來不是這樣的孩子呀！現在搬到這裡來，換了一個地方，忘記以前的事，又上學了，好容易臉上長胖些……」

媽媽啊！你爲什麼又提起那件奇怪的事呢？你們又常常說，哪個是瘋子，哪個是傻子；哪個是騙子，哪個是賊子，我分也分不清。就像我現在，抬頭看見窗外藍色的天空上，飄動著白色的雲朵，就要想到國文書上第二十六課的那篇〈我們看海去〉：

我們看海去！
我們看海去！

藍色的大海上，
揚著白色的帆。
金紅的太陽，
從海上昇起來，
照到海面照到船頭。
我們看海去！
我們看海去！

我就分不清天空和大海。金紅的太陽，是從藍色的大海升上來的呢？還是從藍色的天空昇上來的呢？但是我很喜歡念這課書，我一遍一遍的念，好像躺在床上，又像睡在雲上。我現在已經能夠背下來了，媽媽常對爸爸、對宋媽誇我用功，書念得好。我喜歡念的，當然就念得好，像上學期的「人手足刀尺狗牛羊一身二手……」那幾課，我希望趕快忘掉它們！

爸爸去睡午覺了，一家人都不許吵他，家裡一點兒聲音都沒有，但是我聽到街牆傳來「嘭！嘭！」的聲音，那準是方德成他們的皮球踢到牆上了。我在想，出去怎樣跟他們說話，跟他們一起玩呢？在學校，我們女生是不跟男生說話的，理也不理他們，專門瞪他們，但是我現在很想踢球。

好媽媽，她過來了：

「出去跟那兩個野孩子說，不要在咱們家門口踢球，你爸爸睡覺呢！」有了這句話就好了，我飛快的向外跑，辮子又鉤在門框的釘子上了，拔起我的頭髮根，痛死啦！這隻釘子爲什麼不取掉？對了，是爸爸釘的，上面掛了一把鞋撢子，爸爸臨出門和回家來，都先撢一撢鞋。他教我也要這樣做，但是我覺得我鞋上的土，還是用跺腳的法子，跺得更乾淨些。

宋媽在門道餵妹妹吃粥，她頭上的簪子插著薄荷葉，太陽穴貼著小紅蘿蔔皮，因爲她在鬧頭痛的毛病。開街門的時候，宋媽問我：

「又哪兒瘋去？」

「媽叫我出去的。」我理由充足的回答她。

門外一塊圓場地，全被太陽照著，就像盛得滿滿的一匙湯。我了不起的站到方德成的面前說：

「不許往我們家牆上踢球，我爸爸睡覺呢！」

方德成從地上撿起皮球，傻乎乎的看著我。

在我們家的斜對面，是一所空房子，裡面沒有人家住，只有一個看房的聾子老頭兒，也還常常倒鎖了街門到他的女兒家去住。宋媽不知道從哪兒聽來的，說這所房子總租不出去，是因爲鬧鬼。媽媽聽了就跟爸爸說：「北京城怎麼這麼多鬧鬼的房子？」

在鬧鬼房子和另一所房子的中間，有一塊像一間房子那麼大的空地，長滿了草，前面也有看來我都能邁過去的矮破磚牆，裡面的草長得比牆高。這塊空地聽說原來是鬧鬼房子的馬號，早就塌了，沒有人修，就成了一塊空草地。

我看著那片密密高高的草地，它旁邊正接著一段鬧鬼房子的牆，我對傻方德成他們說：

「不會上那邊踢去，那房裡沒住人。」

他們倆一聽，轉身就往對面跑去。球兒一腳一腳的踢到牆上又打回來，是多麼的快活。

這是條死胡同，做買賣的從湯匙的把兒進來，繞著湯匙底兒走一圈，就還得從原路出去。這時剃頭挑子過來了，那兩片鐵夾子「喚頭」彈得嗡嗡的響，也沒人出來剃頭。打糖鑼的也來了，他的挑子上有酸棗麵兒，有印花人兒，有山楂片，還有珠串子，都是我喜歡的，但是媽媽不給錢，又有什麼辦法！打糖鑼的老頭子看我站在他的挑子前，就輕輕的對我說：

「去，去，回家要錢去！」

教人要錢，這老頭子眞壞！我心裡想著，就走開了。我不由得走向對面去，站在空草地的破磚牆前面，看方德成和劉平他們倆會不會叫我也參加踢球。球滾到我腳邊來了，我趕快撿起來扔給他們。又滾到更遠一點兒的牆邊去了，我也跑過去替他們撿起來。這一次劉平一腳把球踢得老高老高的，他自己還誇嘴說：「瞧老子踢得多棒！」但是這回球從高處落到那片高草地裡去了。

「英子，你不是愛撿球嗎？現在去給我們撿吧！」劉平一頭汗的說。

有什麼不可以？我立刻就轉身邁進破磚牆，腳踏在比我還高的草堆裡。我用兩手撥開草才想起，球掉到哪兒了呢？怎麼能一下就找到？不由得回頭看他們；他們倆已經跑到打糖鑼的挑子前，仰著脖子在喝那三大枚一瓶的玉泉山汽水。

我探身向草堆走了兩步，劉平在喊我：「留神腳底下狗屎，林英子！」

我聽了嚇得立刻停住了，向腳底下看看，還好，什麼都沒有。我撥開左面的草，右面的草，都找不到球。再向裡走，快到最裡面的牆角了，我腳下碰著一個東西，撿起來看，是把鉗子，沒有用，我把它往面前一丟，噹的一聲響了，我趕快又撥開前面的草，這才發現，鉗子是落在一個銅盤子上面，盤上是反扣著的。眞奇怪！我不由得蹲下來，掀開銅盤子，底下竟是疊得整整齊齊的一條很漂亮帶穗子的桌毯，和一件很講究的綢衣服，我趕緊用銅盤子又蓋住，心突突的跳，慌得很，好像我做了什麼不對的事被人發現了，抬頭看看，並沒有人影，草被風吹得向前倒，打著我的頭，我只看見草上面遠遠的那塊藍色的海，不，藍色的天。

我站起身來往出口的路走，心在想，要不要告訴劉平他們？我走出來，只見他們倆已經又在地上彈玻璃球了，打糖鑼的老頭子也走了。劉平頭也沒抬的問我：

「找著沒有？」

「沒有。」

「找不著算了，那裡頭也太髒，狗也進去拉屎，人也進去撒尿。」

我離開他們回家去。宋媽正在院子裡收衣服，她看見我皺起眉頭（小紅蘿蔔皮立刻從太陽穴掉下來了！）說：

「瞧裏得這身這臉的土！就跟那兩個野小子踢球踢成這模樣兒？」

「我沒有踢球！」我的確沒有踢球。

「騙誰！」宋媽撇嘴說著，又提起我的辮子，「你媽梳頭是有名的手緊，瞧！還能讓你玩散了呢！你說你夠多淘！頭繩兒哪？」

「是剛才那門上的釘子鉤掉的。」我指著屋門那隻掛擅子的釘子爭辯說。這時我低頭看見我的鞋上也全是土，於是我在磚地上用力的跺上幾跺，土落下去不少。

一抬頭，看見媽媽隔著玻璃窗在屋裡指點著我，我歪著頭，皺起鼻子，向媽媽瞇瞇的笑了笑。她看見我這樣笑，會什麼都原諒我的。

二

第二天，第三天，好幾天過去了，方德成他們不再提起那個球，但是我可惦記著，我惦記的不是那個球，是那塊草地，草地裡的那堆東西。我真想告訴媽或者宋媽，但是話到嘴邊又收回去了。

今天我的功課很快的就做完了，兩位的加法眞難算，又要進位，又要加點，我只有十個手指頭，加得忙不過來。算術算得太苦了，我就要背一遍〈我們看海去〉，我想，躺在那海中的白帆船上，會被太陽照得睜不開眼，船兒在水上搖呀搖的，我一定會睡著了。「我們看海去，我們看海去」，我收拾鉛筆盒的時候，這樣念著；我把書包掛在床欄上，這樣念著；我跳出了屋門檻兒，這樣念著。

爸和媽正在院子裡，媽媽抱著小妹妹，爸爸在剪花草，他說夾竹桃葉子太多了，花就開得少，該去掉一些葉子。他又用細繩兒把枝子綑紮一下，那幾棵夾竹桃，就不那麼散散落落的了。他又給牆邊的喇叭花牽上一條條的細繩子，釘在圍牆高處，早晨的太陽照在這堵牆上，喇叭花紅紫黃藍的全開開了，但現在不是早晨，幾朵喇叭花已經萎了。

媽媽對爸爸說：

「帶把鎖回來吧，賊鬧得厲害，連新華街大街上還鬧賊呢！」

爸爸在專心剪栽花草，鼻孔一張一張的，他漫不經心的說：「新華街，離這裡還遠呢！」抬頭看見我又說：「是不是？英子！」

我點點頭，那空草地在我眼前閃了一下。

小妹妹這時從媽媽的身上掙脫下來，她剛會走路，就喜歡我領她。我用跳舞的步子帶著她走，小妹妹高興死啦！咯咯的笑，我嘴裡又念著〈我們看海去〉，念一句，跳一步舞，這樣跳到門口。宋媽剛吃過飯，用她那銀耳挖子在剔牙，每剔一下，就嘖嘖的吸著氣，要剔好大的工夫，彷彿她的牙很重要！小妹妹抱住她的腿，她把耳挖子在身上抹了抹，插到她的髻兒上去。

宋媽抱起小妹妹走出街門了，她對妹妹說：

「俺們逛街去嘍！俺們逛街街去嘍！」宋媽逛大街的癮頭很大，回來後就有許多新鮮事兒告訴媽媽；神妖賊怪，騾馬驢牛。

宋媽走遠去了，小妹妹還在向我招手，天還沒有黑，但是太陽不見了，只有對面空房子的牆角上，還有一絲絲光。再看過去，旁邊的空草地上，也還有一片太陽閃著亮，草被風吹得輕輕的動，我看愣了，不由得向它走過去。我家牆壁的門前，停了一個收買破爛貨的挑子，卻不見人，大概是到誰家收買破爛兒去了吧！這時門前的空地上，一個人也沒有。

我走向空草地，一邊邁過破牆，一邊心想，如果被宋媽或者什麼人看見我到這裡來的話，我就說，我要找那個皮球的，本來嘛！

我沒有專心找球，但也希望能看到它，我的腳步是走向那個神祕的牆角。我憋住氣，撥動著高草，輕輕的向前探著腳步，我是怕又踩到什麼東西。

那些東西，能夠還在這地方嗎？我那天怎麼不敢多看一看，立刻就返身退出來呢？現在這些東西如果還在這地方的話，我又怎麼辦呢？當然沒有辦法，我只是想看一看，因爲我喜歡奇怪的事。

但是當我撥開那一叢草的時候，使我倒抽了一口氣，驚奇的喊了一聲：

「哦！」

有一個人蹲在草地上！他也驚嚇的回過頭來「哦」了一聲。瞪著眼望了我一陣，隨後他笑了：

「小姑娘，你也上這兒來幹麼？」

「我呀，」我竟答不出話來，愣了一下，終於想出來了：「我來找球。」

「球？是不是這個？」他說著，從身後的一堆東西裡拿出一個皮球，果然是劉平他們丟的那個。我點點頭，接過球來便轉身退出去，但是他把我叫住了：

「嗯——小姑娘，你停停，咱們談談。」

他是穿著一身短打褲褂，禿著頭，濃濃的眉毛，他的厚嘴唇使我想起了會看相的李伯伯說過的話：「嘴唇厚厚敦敦的，是個老實人相。」我本來有點怕，想起這句話就好多了。他說話的聲音彷彿有點發抖，人也不肯站起來，但是我知道他身後有一堆東西，不知道是不是那天的銅茶盤什麼的。他說：

「小姑娘，你幾歲啦？念書了沒有？」

「七歲，在廠甸附小一年級。」常常有人問我同樣的話，所以我能一下就回答出來。

「喝！那是好學堂。誰接你送你上學呀？」

「我自己。」回答了以後，想起爸爸，所以我又說：「爸爸說，小孩子要早早養成自立的本事，現在，你知道不知道，新華街城牆打通了，叫做興華門，我就不用繞順治門啦！」

「小姑娘會說話，家教好，」他不住的點頭，「你爸爸說得對，小孩子要早早的就學著自個兒，嗯——自個兒那什麼的本事，唉——！」他忽然低頭長長的歎一口氣，又抬頭望著我，笑笑問我：「你猜我是來幹麼？」

「你呀——我猜不出，」我搖搖頭，但又忽然想起來了：「你是不是來這裡拉屎？」

「拉屎？」他睜大了眼睛。「對啦，對啦，我是來出恭的啦！」

「不講衛生！」

「我們這路人，沒有衛生。」

我又低頭斜著眼望了一下他的背後，他好像在想什麼，愣了一會兒，從短褂口袋裡掏出了一把玻璃球，都是又圓又亮的汽水球：

「哪，這些個給你。」

「我不要！」這種事一點兒也不能壞我的心眼兒。爸爸說過，不許隨便拿人家的東西。

「是我給你的呀！」他還是要塞到我手裡，但是我的手掌努力張開著，並不拳起來，球沒法落在我手裡，就都掉在草地上了。我又說：

「人家給的也不能隨便要。」

「這孩子！」他也很沒有辦法的樣子，隨後他又問我：「你們家知道你上這兒來嗎？」

我搖搖頭。

「你回去了，要告訴你們家裡的人看見我了嗎？」

我還是搖頭。

「那好，可千萬別跟人說看見我了呀！我也是好人。」

誰又說他是壞人了呢？他的樣子好奇怪！我猜他不是來拉屎的，那堆東西，跟他有關係。

「回去吧！快黑了！」他指指天，烏鴉飛過去了。

「那你呢？」我問他。

「我也走呀，你先走。」他撢撢身上落下的碎草，好像要站起來，接著又說：「可別說出去呀，小姑娘，你還小，不懂得事，等趕明兒，我跟你慢慢的談，故事多著呢！」

「講故事？」

「是呀！我常常來，我看你這小姑娘是好心腸，咱們交個道義朋友，我跟你講我弟弟的故事兒呀，我的故事兒呀。」

「什麼時候？」說到講故事，我最喜歡。

「遇見了，咱們就聊聊，我一個人兒，也悶得慌。」

他說的話，我不太懂，但是我覺得這樣一個大朋友，可以交一交，我不知道他是好人，還是壞人，我分不清這些，就像我分不清海跟天一樣，但是他的嘴唇是厚厚敦敦的。

我轉身向外撥動高草，又回過頭來問他：

「明天你要來嗎？」

「明天？不一定。」

他正拿一個包袱攤開來包些東西，草下面很暗了，看不清，但是可以聽見「噹噹」的聲音，準是那個銅盤子碰著掉在地上的汽水球了。那些是他的東西嗎？

我走出了破磚牆，眼前這塊地方還是沒有人，但遠遠的我看見宋媽領著小妹妹回來了，我趕快向家裡跑，路過隔壁的人家，看見那收破爛的挑子還擺在那裡。

我和宋媽同時到了家門口，便牽了小妹妹的手一路走進家門，這時院子裡的電燈亮了，電燈旁邊的牆上爬著好幾條蠍虎子，電燈上也飛繞著許多小蟲兒。茶几已經擺在花池子旁邊了，上面準是一壺香片茶，一包粉包菸，爸爸要在藤椅上躺好久好久，跟媽媽談這談那，李伯伯也許會來。

我把皮球放在茶几上，隨手便把粉包菸拿起來打開，抽出裡面的洋畫兒，爸爸笑笑問我：

「《封神榜》的洋畫兒存全了沒有？」

「哪裡會！那張姜子牙永遠不會有。三隻眼的楊戩我倒有三張啦！」

爸爸摸摸我的頭笑著對媽媽說：

「這孩子，也知道什麼姜子牙啦，楊戩啦！」

我也不知道是怎麼個心氣兒，忽然問爸爸：

「爸，什麼叫做賊！」

「賊？」爸奇怪的望著我：「偷人東西的就叫賊。」

「賊是什麼樣子？」

「人的樣子呀！一個鼻子倆眼睛。」媽回答著，她也奇怪望著我：

「怎麼問起這個來了？」

「隨便問問！」

我說著拿了小板凳來放在媽媽的腳下，還沒坐下來呢，李伯伯就進來了，於是媽媽就趕我：

「去，屋裡跟小妹妹玩去，不要在這裡打岔。」

三

我洗臉的時候，把皮球也放在臉盆裡用胰子洗了一遍，皮球是雪白的了，盆裡的水可黑了。我把皮球收進書包裡，這時宋媽走進來換洗臉水，她「喲」了一聲，指著臉盆說：

「這是你的臉？多乾淨呀！」

「比你的臭小腳乾淨！」我說完噗哧笑了。我也不知為什麼想到宋媽的腳，大概是因為她的腳裹得太嚴緊了。媽媽說過，那裡面是臭的。

宋媽也笑了，她說：

「你嘴厲害不是？咬不動燒餅可別哭呀！」

咬不動燒餅，實在是我每天早晨吃早點的一件痛苦的事。我的大牙都被蟲蛀了，前面的又掉了兩個，新的還沒長出來，所以我就沒法把燒餅麻花痛痛快快的吃下去。為了慢慢的吃早點，我遲到了；為了吃時碰到蟲牙我疼得哭了。那麼我就寧可什麼也不吃，餓著肚子上學去。

我把書包掛在肩膀上，自己上學去。出了新簾子胡同照直向城門走去，興華門雖然打通了，但是還沒有做好，城門裡外堆了一層層的磚土，車子不通行，只有人可以走過。早晨的太陽照在土坡上，我走上土坡，太陽就照滿我的全身，我雖然沒吃早點，但很舒服，就在土坡上站了一會兒，看著來來往往的行人。手扶著書包正碰著鼓起來的皮球，不由得想到了空草地裡的情景，那個厚厚嘴唇的男人，他到底是幹麼的？

我呆想了一會兒，便走下坡來，出了興華門，馬上就到學校了。

五年級的童子軍把著校門，他們的樣子多凶啊！但是多讓人羨慕啊！我幾時能當上童子軍呢？

「書包裡是什麼？」童子軍指著我的書包問。

我嚇了一跳。

「是皮球，還給劉平的。」我說話都有點哆嗦了，我眞怕他們。

童子軍對我很好，他沒有檢查，手一揮，放我進去了。我可看見他從別的同學的褲袋裡查出蠶豆來，查出山楂糖來，全給沒收了。不許帶吃的。

進了教室，我掏出皮球來給劉平，他愣著，大概忘了，我說：

「是你們那天丟的皮球呀！」

他這才想起來，很高興的接過去，也不說聲謝謝。

有一些同學們在吵吵鬧鬧，他們說，歡送畢業同學全校要開個遊藝會，在大禮堂，每一班都要擔任遊藝會的一項表演節目，吵的就是我們這班會表演什麼呢？我眞奇怪，他們的消息從哪兒得來的？我怎麼就不知道這些事情。

上課的時候，老師果然告訴我們，一、二年級的同學不會表演整齣的話劇什麼的，只好唱唱歌，跳跳舞。教跳舞唱歌的韓老師，要從一、二、三年級的同學裡，挑出幾個人來，合著演唱〈麻雀與小孩〉。啊！那是多麼好聽好看的一齣歌舞啊！老師會選誰呢？會選我嗎？我心跳了，因爲我喜歡韓老師！她是我們附小韓主任的女兒。她冬天穿著一件藕合色的旗袍，周身鑲了白兔皮的邊，在大禮堂裡教我們跳舞，拉圈兒的時候，她剛好拉著我的手。她的手又熱又軟，我是多麼喜歡她，她喜歡我嗎？……

「……還有林英子，當小麻雀。」

啊！我還在做夢呢，什麼也沒聽見，什麼？眞的是在叫我的名字嗎？

「林英子，從明天起，下了課要晚一點兒回家，每天都由韓老師教你們，到三甲的教室去，聽明白了沒有？記住，要告訴家裡一聲。」

我只覺得臉熱，眞高興死了，同學們會多麼羨慕我啊！去跟三年級的大同學一起跳舞，雖然我當的是小小麻雀，只管飛來飛去，並不要唱什麼。

我覺得時間過得眞慢，因爲我要趕快回家告訴臭小腳宋媽，她一定會抱妹妹來看遊藝會，我才不要她來！下課的時候，同學都圍著我，問我跳舞那天穿什麼衣裳？害怕不害怕？女同學都跑過來摟摟我，好像我是她們每一個人的好朋友。

好容易放學該回家吃午飯了，我加快了腳步，搶在同學的前面走出來。進了興華門，過了高高低低的土坡，再走一小段路，就到新簾子胡同了。胡同裡的第三家，是所大房子，平常大門關得嚴嚴的，今天卻難得的敞開了，門口圍著許多人，巡警也來了，不知道是什麼事。但是我下午還要上學，不能擠進人堆裡去看，趕快跑回家來。

宋媽正在氣喘呼呼的跟媽媽講什麼，媽驚奇的瞪著眼聽，又搖頭，又嘖嘖。

「這回可大發了，一共偷了三十件，八成是昨天天好拿出來曬衣服，讓賊給盼上了。」

「從外面怎麼能看得見呢？不是黑大門的那家嗎？我路過也難得看見他們打開門，總是陰森森的。」

「今天大門一敞開，咱們才看見，眞是天棚石榴金魚缸，院子可豁亮啦！」

「現在怎麼樣了呢？」

「巡警在那兒查呢！走，珠珠，咱們再看去。」宋媽領著小妹妹，回頭看見了我，「小英子，你去不去看熱鬧？」

「熱鬧？人家丟了那麼多東西，多著急呀，你還說是熱鬧呢！」我說完撇了她一嘴。

「好心沒好報！」宋媽終於又抱著妹妹走了。

我在飯桌上告訴媽媽，我參加表演〈麻雀與小孩〉的事，媽媽很高興，她說要給我縫一件最漂亮的跳舞衣。我說：

「縫好了就鎖在箱子裡，不要讓賊偷走啊！」

「不會啦，別說這喪話！」媽說。

我忍不住又問媽：

「媽，賊偷了東西，他放在哪兒呢？」

「把那些東西賣給專收賊贓的人。」

「收賊贓的人什麼樣兒？」

「人都是一個樣兒，誰腦門子上也沒刻著哪個是賊，哪個又不是。」

「所以我不明白！」我心裡正在納悶兒一件事。

「你不明白的事情多著呢！上學去吧，我的灑丫頭！」

媽的北京話說得這麼流利了，但是，我笑了：

了。

「媽，是傻丫頭，傻，ㄕㄚ傻，不是ㄙㄚ灑。我的灑媽媽！」說完我趕快跑走

四

因為放學後要練習跳舞，今天回來得晚一點兒。在興華門的土坡上，我還是習慣的站了一會兒。城牆上面的那片天，是淡紅的顏色了，海在這時也會變成紅色的嗎？我又默默的背起「我們看海去！我們看海去！……金紅的太陽，從海上昇起來……」那麼現在不可以說是「金紅的太陽，從天上落下去」嗎？對了，我將來要寫一本書，我要把天和海分清楚，我要把好人和壞人分清楚，我要把瘋子和賊子分清楚，但是我現在卻是什麼也分不清。

我從土坡上下來，邊走邊想，走到家門口，就在門墩兒上坐下來，愣愣的沒有伸手去拍門，因為我看見收買破爛貨的挑子又停在隔壁人家門口了。挑挑子的人呢？我不由得舉起腳步走向空草地那邊去。這時門前的空地上，只見遠遠的有一個男人蹲在大槐樹底下，他沒有注意我。我邁進破磚牆，撥開高草，一步步向裡走。

還是那個老地方，我看見了他！

「是你！」他也蹲在那裡，嘴裡咬著一根青草。他又向我身後張望了一下。招手叫我也蹲下來。我一蹲下來，書包就落在地上了。他小聲的說：

「放學啦？」

「嗯。」

「怎麼不回家？」

「我猜你在這裡。」

「你怎麼就能猜出來呢？」他斜起頭看我，我看他的臉，很眼熟。

「我呀！」我笑笑。我只是心裡覺得這樣，就來了，我並不眞的會猜什麼事，「你該來了！」

「我該來了？你這話是什麼意思？」他驚奇的問。

「沒有什麼意思呀！」我也驚奇的回答：「你還有什麼故事沒跟我講哪！不是嗎？」

「對對對，咱們得講信用。」他點點頭笑了。他靠坐在牆角，身旁有一大包東西，用油布包著，他就倚著這大包袱，好像宋媽坐在她的炕頭上靠著被褥垛那樣。

「你要聽什麼故事兒？」

「你弟弟的，你的。」

「好，可是我先問你，我還不知道你叫什麼名兒呢？」

「英子。」

「英子，英子，」他輕輕的念著，「名兒好聽。在學堂考第幾？」

「第十二名。」

「這麼聰明的學生才考十二名？應當考第一呀！準是貪玩兒分了你的心。」

我笑了，他怎麼知道我貪玩兒？我怎麼能夠不玩兒呢！

他又接著說：

「我就是小時候貪玩兒，書也沒念成，後悔也來不及了。我兄弟，那可是個好學生，年年考第一，有志氣。他說，他長大畢了業，還要飄洋過海去念書。我的天老爺，就憑我這沒出息的哥哥，什麼能耐也沒有，哪兒供得起呀！奔窩頭，我們娘兒仨，還常常吃了上頓沒下頓呢！唉！」他歎了口氣，「走到這一步上，也是事非得已。小妹妹，明白我的話嗎？」

我似懂，又不懂，只是直著眼看他。他的眼角有一堆眼屎，眼睛紅紅的，好像昨天沒睡覺，又像哭過似的。

「我那瞎老娘是爲了我沒出息哭瞎的，她現在就知道我把家當花光了，改邪歸正做小買賣，她不知道我別的。我那一心啃書本的弟弟，更拿我當個好哥哥。可不是，我供弟弟念書，一心要供到讓他飄洋過海去念書，我不是個好人嗎？小英子，你說我是好人？壞人？嗯？」

好人、壞人，這是我最沒有辦法分清楚的事，怎麼他也來問我呢？我搖搖頭。

「不是好人？」他瞪起眼，指著他自己的鼻子。

我還是搖搖頭。

「不是壞人？」他笑了，眼淚從眼屎後面流出來。

「我不懂什麼好人、壞人，人太多了，很難分。」我抬頭看看天，忽然想起來了：「你分得清海跟天嗎？我們有一課書，我念給你聽。」

我就背起〈我們看海去〉那課書，我一句一句慢慢的念，他斜著頭仔細的聽。我念一句，他點頭「嗯」一聲。念完了我說：

「金紅的太陽是從藍色的大海昇上來的嗎？可是它也從藍色的天空昇上來呀？我分不出海跟天，我分不出好人跟壞人。」

「對，」他點點頭很贊成我，「小妹妹，你的頭腦好，將來總有一天你分得清這些。將來，等我那兄弟要坐大輪船去外國念書的時候，咱們給他送行去，就可以看見大海了，看它跟天有什麼不一樣。」

「我們看海去！我們看海去！」我高興得又念起來。

「對，我們看海去，我們看海去，藍色的大海上，揚著白色的帆，……還有什麼太陽來著？」

「金紅的太陽，從海上昇起來，……」

我一句句教他念，他也很喜歡這課書了，他說：

「小妹妹，我一定忘不了你，我的心事跟別人沒說過，就連我兄弟算上。」

什麼是他的心事呢？剛才他所說的話，都叫做心事嗎？但是我並不完全懂，也懶得問。只是他的弟弟不知要好久才會坐輪船到外國去？不管怎麼樣，我們總算訂了約會，訂了「我們看海去」的約會。

五

媽媽那條淡青色的頭紗，借給我跳舞用。她在紗的四角各綴上一個小小鈴兒；我把紗披在身上，再繫在小拇指上，當作麻雀的翅膀。我的手一舞動，鈴兒就隨著響，好聽極了。

舉行畢業典禮那天，同時也開歡送畢業同學會，爸媽都來了，坐在來賓席上，畢業同學坐在最前面，我們演員坐在他們後面。童子軍維持秩序，神氣死了，他們把童子軍棍攔在禮堂的幾個出入門口，不許這個進來，不許那個出去。典禮先開始了，韓主任發畢業證書，由考第一的同學代表去領取，那位同學上台領了以後，向韓主任鞠躬，轉過身來又向台下大家一鞠躬，大家不住的鼓掌。我看這位領畢業文憑的同學很面熟，好像在那裡見過，唉！我眞「灑」！每天在同一個學校裡，當然我總會見過他的呀！

我們唱歡送畢業同學離別歌：「長亭外，古道邊，芳草碧連天，晚風拂柳笛聲殘，夕陽山外山……問君此去幾時來，來時莫徘徊。……」我還不懂這歌詞的意思，但是我唱時很想哭，我不喜歡離別，雖然六年級的畢業同學我一個都不認識。

輪到我們的〈麻雀與小孩〉上場了，我心裡又高興，又害怕，這是我第一次登台。一場舞跳完，就像做夢一樣，台下是什麼樣子，我一眼也不敢看，只聽見嗡嗡的，還夾著鼓掌聲。

我下了台，來到爸媽的來賓席。媽媽給我買了大沙果、玉泉山汽水和麵包，我隨便吃啦喝啦，童子軍管不了嘍！我並不願意老老實實的坐在爸媽身邊，便站起來，左看右看的，也爲的讓人家看見我就是剛才在台上的小麻雀。忽然，一晃眼，我看見一個熟悉的臉影，是坐在前邊右面來賓席上的，他是？他側過頭來了，果然是他！我不知怎麼，竟一下子蹲了下去，讓前面的座位遮住我，我的臉好發燒，好像發生了什麼事情。

我低下頭想，他怎麼也來了？是不是來看我？在那青草叢裡，我對他講過學校要開遊藝會和我要表演的事了嗎？如果他不是來看我，又是來看誰呢？

我蹲在媽媽的腳旁太久，媽輕輕的踢了我一腳說：

「起來呀！你在找什麼？」

我從座位下站起身，挨著媽媽坐下來，低頭輕輕的吃沙果，眼睛竟不敢向右前方看去。媽媽笑笑說：

「你不是說今天是特別日子，童子軍不管同學吃零食的事嗎？為什麼還這麼害怕？」

「誰說怕！」我把身子扭正過來。

這個大沙果是很難吃完的，因為我的牙！我吃著沙果，一邊看台上，一邊想心事。我想起來了，我想起來了，他的弟弟！一定是他考第一的弟弟在我們學校，就是領畢業證書的那個，我差點兒喊出來，幸虧沙果堵在嘴上，我只能從鼻子裡「哼——」了一聲。

遊藝會彷彿很快的就閉幕了，我們都很捨不得的離開學校回家。回家來，我還直講遊藝會的事情，說了又說，說了又說，好像這一天的快樂，我永遠永遠都忘不了。爸爸很高興，他說我這次期考居然進到十名以內了，要買點兒東西鼓勵我，爸說：

「要繼續努力啊！一年年的進步上去，到畢業的時候，要像今天那個考第一的學生，代表同學領畢業證書。想一想，那位同學的爸爸坐在來賓席上，該是多麼高興呀！」

「他沒有爸爸！」我突然這樣喊出來，自己也驚奇了，他準是我所認為的那個人的弟弟嗎？幸虧爸爸沒有再問下去。但是這時候卻引起我要到一個地方去的念頭。晚飯吃過了，天還不太晚，我溜出了家門。

在門外乘涼的人很多，他們東一堆，西一堆的在說話，不會有人注意我。我假裝不在意的走向空草地去。草長得更高，更茂盛了，撥開它，要用點力氣呢！草叢很暗，我不知道為什麼要到這裡來，也不知道他在不在，我只是一股子說不出的勁兒，就來了。

他沒有在這裡，但是牆角可還有一個油布包袱，上面還壓了兩塊石頭。我很想把石頭挪開，打開包袱看看，裡面到底是些什麼東西，但是我沒敢這麼做。我愣愣的看了一會兒，想了一會兒，眼睛竟濕了，我是想，夏天過去，秋天，冬天就會來了，他還會常常來這裡嗎？天氣冷了怎麼辦？如果有一天，他的弟弟到外國去讀書，那時他呢？還要到草地來嗎？我蹲下來，讓眼淚滴在草地上，我不知道爲什麼會這麼傷心？我曾經有過一個朋友，人家說她是瘋子，我卻很喜歡她。現在這個人，人家又會管他叫什麼呢？我很怕離別，將來會像那次離別瘋子那樣的和他離別嗎？

地上有一個東西閃著亮，我撿起來看，是一個小銅佛，我隨便的把它拿在手裡，就轉身走出草地了。

經過大槐樹底下的時候，一個戴著草帽穿著對襟短褂的男人向我笑瞇瞇的走過，他說：

「小姑娘，你手裡拿的是什麼玩意兒呀？我看看行嗎？」

有什麼不行呢，我立刻遞給他。

「這是哪兒來的？你們家的嗎？」

「不是，」我忽然想起這不是我家的東西，我怎麼能隨便拿在手裡呢！於是我就指著空草地裡說：

「喏，那裡撿來的。」

他聽了點點頭，又笑瞇瞇的還給我，但是我不打算要了，因爲回家去爸爸知道我在外面撿東西也會罵的，我就用手一推，說：

「送給你吧！」

「謝謝你喲！」他眞是和氣，一定是個好人啦！

六

天氣悶熱，晚上蚊子咬得厲害，誰知半夜就下了一場大雨，一直下到大天亮。我們開完遊藝會放三天假，三天以後再到學校去取作業題目，暑假就開始。今天不用上學了。

雨水把院子刷洗了一次，好乾淨！牆邊的喇叭花被早晨的太陽一照，開得特別美。走到牆角，我忽然想起了另一個牆角。那個油布包袱，被雨沖壞了嗎？還有他呢？

我想到這兒，就忍不住跑出去，也不管會不會被別人看見。青草還是濕的，一撥開，水星全打到我的身上來、臉上來。

他果然在裡面！但他不是在遊藝會上的樣子了，昨天他端端正正的坐在禮堂裡，腰板兒是直的，脖子是挺的。現在哪！他手上是水和泥，禿頭上也是水珠子。他坐在什麼東西上，兩手支撐著下巴，厚厚的上嘴唇咬著厚厚的下嘴唇，看見我去了，也沒有笑，他一定是在想他的心事，沒有理會我。

好一會兒，他才問我：

「小英子，我問你，你昨天有沒有動過這包袱？」

我搖搖頭。斜頭看那包袱，上面壓著的石頭沒有了，包袱也不像昨天那樣整齊了。

「我想著也不是你，」他低下頭自言自語的，「可是，要是你倒好了。」

「不是我！」我要起誓：「我搬不動那上面的石頭。」我停了一下終於大膽的說：「而且，我昨天學校開遊藝會，你也知道。」

「不錯，我看見你了。」

我笑笑，希望他誇我小麻雀演得好，但是他好像顧不得這些了，他拉過我的手，很難過的說：

「這地方我不能久待了，你明白不？」

我不明白，所以我直著眼望他，不點頭，也不搖頭。他又說：

「不要再到這兒找我了，咱們以後哪兒都能見著面，是不是？小妹妹，我忘不了你，又聰明，又伶俐，又厚道。咱們也是好朋友一場哪！這個給你，這回你可得收下了。」

他從口袋掏出一串珠子，但是我不肯接過來。

「你放心，這是我自個兒的，奶奶給我的玩意兒多啦！全讓我給敗光了，就剩下這麼一串小象牙佛珠，不知怎麼，掛在鏡框上，就始終沒動過，今天本想著拿來送給你的，這是咱們有緣。小英子，記住，我可不是壞人呀！」

他的話是誠實的，很動聽，我就接過來了，繞兩繞，套在我的手腕上。

我還有許多話要跟他說呢，比如他的弟弟，昨天的遊藝會，但是他扶著我的肩膀說：

「回去吧，小英子，讓我自個兒再仔細想想。這兩天別再來了，外面風聲彷彿——唉，彷彿不好呢！」

我只好退出來了，我邁出破磚牆，不由得把珠串子推到胳膊上去，用袖子遮蓋住，我是怕又碰見那個不認識的男人來要了去。

七

一天過去，兩天過去，到了我到學校取暑假作業題目的日子了。

美麗的韓老師正在操場上學騎車，那是一種多麼時髦的事情呀！只有韓老師才這麼趕時髦。她騎到我的面前停下了，笑笑對我說：

「來拿作業呀？」

我點點頭。

「暑假要快樂的過，下學期很快就開學了，那時候，你作業做好了，你的新牙也長出來了，興華門也可以通車子了！」

她的話多麼好聽，我笑了。但是想起牙，連忙摀住嘴，可是太好笑了，我的新牙雖然沒有長出來，可也要笑，我就哈哈的大笑起來，韓老師也扶著車把大笑了。

我和幾個同路的同學一路回家，向興華門走，土坡兒已經移開了許多，韓老師說得不錯，下學期開學，一定可以有許多車輛打這裡經過，韓老師當然也每天騎了車來上課啦。她騎在車上像仙女一樣，我在路上見了她，一定向她招手說：「韓老師，早！」

走進新簾子胡同，覺得今天特別熱鬧似的，人們來來往往的，好像在忙一些什麼事。也有幾個巡警向胡同裡面走去。又是誰家丟了東西嗎？我的心跳了，忽然覺得有什麼不幸。

越到胡同裡面，人越多了。「走，看去！」「走，看去！」人們都這麼說，到底是看什麼呢？

我也加緊了腳步，走到家門口時，看見家家的門都打開了，人們都站在門口張望，又好像在等什麼，有的人就往空草地那面走去，大槐樹底下也站滿了人。

我家門墩上被劉平和方德成站上去了。宋媽抱珠珠也站在門口，媽媽可躲在大門裡看，她這叫規矩。

「怎麼啦，宋媽？」我扯扯宋媽的衣襟問。

「賊！逮住賊啦！」宋媽沒看我，只管伸著脖子向前探望著。

「賊？」我的心一動，「在哪兒？」

「就出來，就出來，你看著呀！」

人們嗡嗡的談著，探著頭。

「來啦！來啦！出來啦！」

我的眼前被人群擋住了，只看見許多頭在鑽動。人們從草地那邊擁著過來了。

「就是他呀！這不是收買破銅爛鐵的那小子嗎？」

前面一個巡警手裡捧著一個大包袱，啊！是那個油布包袱！那麼一定是逮住他了，我拉緊了宋媽的衣角。

「好嘛！」有人說話了：「他媽的，這倒方便，就在草堆裡窩贓呀！」

「小子不是做賊的模樣兒呀！人心大變啦！好人壞人看不出來啦！」

一群人過來了，我很害怕，怕看見他，但是到底看見了，他的頭低著，眼睛望著地下，手被白繩子綑上了，一個巡警牽著。我的手滿是汗。

在他的另一邊，我又看見一個人，就是那個在槐樹下跟我要銅佛的男人！他手裡好像還拿著兩個銅佛。

「就是那個便衣兒破的案，他在這兒憋了好幾天了。」有人說。

「哪個是便衣兒？」有人問。

「就是那個戴草帽兒的呀！手裡還拿著賊贓哪！說是一個小姑娘給點引的路才破了案。……」

我慢慢躲進大門裡，依在媽媽的身邊，很想哭。

宋媽也抱著珠珠進來了，人們已經漸漸的散去，但還有的一直追下去看。媽媽說：

「小英子，看見這個壞人了沒有？你不是喜歡作文章嗎？將來你長大了，就把今天的事兒寫一本書，說一說一個壞人怎麼做了賊，又怎麼落得這麼個下場。」

「不！」我反抗媽媽這麼教我！

我將來長大了是要寫一本書的，但絕不是像媽媽說的這麼寫。我要寫的是：

〈我們看海去〉。

蘭姨娘

一

從早上吃完點心起，我就和二妹分站在大門口左右兩邊的門墩兒上，等著看「出紅差」的。這一陣子槍斃的人眞多。除了土匪強盜以外，還有鬧革命的男女學生。犯人還沒出順治門呢，這條大街上已經擠滿了等著看熱鬧的人。

今天槍斃四個人，又是學生。學生和土匪同樣是五花大綁坐在敞車上，但是他們的表情不同。要是土匪就熱鬧了，身上披著一道又一道從沿路綢緞莊要來的大紅綢子，他們早喝醉了，嘴裡喊著：

「過十八年又是一條好漢！」

「沒關係，腦袋掉了碗大的疤瘌！」

「哥兒幾個，給咱們來個好兒！」

看熱鬧的人跟著就應一聲：

「好！」

是學生就不同了，他們總是低頭不語，群眾也起不了勁兒，只默默的拿可憐的眼光看他們。我看今天又是槍斃學生，就想起這幾天媽媽的憂愁，她前天才對爸爸說：

「這些日子，風聲不好，你還留德先在家裡住，他總是半夜從外面慌慌張張的跑來，怪嚇人的。」

爸爸不在乎，他伸長了脖子，用客家話反問了媽一句：

「驚麼該？」

「別說咱們來往的客人多，就是自己家裡的孩子傭人也不少，總不太好吧？」

爸爸還是瞧不起的說：

「你們女人懂什麼？」

我站在門墩兒上，看著一車又一車要送去槍斃的人，都是背了手不說話的大學生，不知怎麼，便把爸媽所談的德先叔連想起來了。

德先叔是我們的同鄉，在北京大學讀書，住在沙灘附近的公寓裡，去年開同鄉會跟爸認識的。爸很喜歡他，當做自己的弟弟一樣。他能喝酒，愛說話，和爸很合得來，兩個人只要一碟花生米、一盤羊頭肉、四兩燒刀子，就能談到半夜。媽媽常在背地裡用閩南語罵這個一坐下就不起身的客人：「長屁股！」

半年以前的一天晚上，他慌慌張張的跑來我們家，跟爸用客家話談著。總是爲一件很要命的事吧，爸把他留在家裡住了。從此他就在我們家神出鬼沒的，爸卻說他是一個了不起的新青年。

我是大姐，從我往下數，還有三個妹妹、一個弟弟，除了四妹還不會說話以外，我敢說我們幾個人都不喜歡德先叔，因爲他不理我們，這是第一個原因。還有就是他的臉太長，戴著大黑框眼鏡，我不喜歡這種臉。再就是，他來了，媽要倒楣，爸要媽添菜，還說媽燒不好客家菜，釀豆腐味兒淡啦！白斬雞不夠嫩啦！有一天媽高高興興燒了一道她自己的家鄉菜，爸爸吃著明明是好，卻對德先叔說：

「他們福佬人就知道燒五柳魚！」

憑了這些，我也要站在媽媽這一頭兒。德先叔每次來，我對他都冷冷的，故意做出看不起他的樣子，其實他並不注意。

雖然這樣，看著過出差的，心裡竟不安起來，彷彿這些要槍斃的學生，跟德先叔有什麼關係似的，還沒等過完，我就跑回家裡問媽：

「媽！德先叔這幾天怎麼沒來？」

「誰知道他死到哪兒去了！」媽很輕鬆的回答。停一下，她又奇怪的問我：

「你問他幹麼？不來不是更好嗎？」

「隨便問問。」說完我就跑了，我仍跑回門外大街上去，剛才街上的景象全沒有了，恢復了這條街每天上午的樣子。賣切糕的，滿身輕快的推著他的獨輪車，上面是一塊已經冷了的剩切糕，孤零零的插在一根竹籤上。我的兩個門牙剛掉，賣切糕問我買不買那塊剩切糕，我搖搖頭，他開玩笑說：

「對了，大小姐，你吃切糕不給錢，門牙都讓人摘了去啦！」

我使勁閉著嘴瞪他。

到了黃昏，虎坊橋大街另是一種樣子啦。對街新開了一家洋貨店，門口坐滿了晚飯後乘涼的大人小孩，正圍著一個裝了大喇叭的話匣子，放的是〈百代公司特請譚鑫培老闆唱洪羊洞〉，唱片發出沙沙的聲音，針頭該換了。二妹說：

「大姐，咱們過去等著聽洋大人笑去。」我們倆剛攙起手跑，我又看見從對街那邊，正有一隊光頭的人，向馬路這邊走來，他們穿著月白竹布褂，黑布鞋，是富連成科班要到廣和樓去上夜戲。我對二妹說：

「看，什麼來了！咱們還是回來數爛眼邊兒吧！」

我和二妹回到自己家門口，各騎在一個門墩兒上，靜等著，隊伍過來了，打頭領隊的個子高大，後面就是由小到大排下去。對街「洋大人笑」開始了，在「哈哈哈」的伴奏中，我每看隊伍裡過一個紅爛著眼睛的孩子，就大喊一聲：

「爛眼邊兒！」

二妹說：「一個！」

我再說：「爛眼邊兒！」

二妹說：「兩個！」

爛眼邊兒，三個！爛眼邊兒，四個！……今天共得十一個。富連成那些學戲的小孩子，比我們大不了多少，我們喊爛眼邊兒，他們連頭也不敢斜一斜，默默的向前走，大褂的袖子，老長老長，走起路來，甩搭甩搭的，都像傻子。

我們正數得高興，忽然一個人走近我的面前來，「嘿」的一聲，嚇我一跳，原來是施家的小哥，他也穿著月白竹布大褂。他很了不起的問我：

「英子，你爸媽在家嗎？」

我點點頭。

他朝門裡走，我們也跟進去，問他什麼事，他理也不理我們，我準知道他找爸媽有要緊的事。一進臥室的門，爸媽正在談什麼，看見小哥進來，他們彷彿愣了一下。小哥上前鞠躬，然後像背書一樣的說：

「我爸叫我來跟林阿叔林阿嬸說，如果我家蘭姨娘來了，不要留她，因爲我爸把她趕出去了。」

這時媽走到通澡房的門口，我聽見裡面有嘩啦嘩啦的水聲。爸點點頭說：

「好，好，回去告訴你爸爸，放心就是了。」

小哥又一深鞠躬告退，還是那麼正正經經，看也不看我們一眼。小哥走後，爸爸噝噝的喝著香片茶，媽在點蚊香，兩人都沒說話。澡房的門打開了，呀！熱氣騰騰中，走出來的正是施家的蘭姨娘！她是什麼時候來的？她穿著一身外國麻紗的褲褂，走出來就平平衣襟，向後攏攏頭髮，笑瞇瞇的說：

「把在他們施家的一身晦氣，都洗刷淨啦！好痛快！」

媽說：

「小哥剛才來了，你知道吧？」

「怎麼不知道！」蘭姨娘眉毛一挑，冷笑說：「說什麼？他爸把我趕出來了？怪不錯的！我要走，大少奶奶還直說瞧她面子算了呢！這會兒又成了他趕我的嘍！嘖嘖嘖！」她的嘴直撇，然後又說：「別人留我不留，他也管得了？攔得住？——走，秀子，跟我到前院去，叫你們家宋媽給我煮碗麵吃。」說著她就拉著二妹的手走出去了。爸爸一直微笑的看著蘭姨娘，伸長了脖子，腳下還打著拍子。

媽臉上一點笑容都沒有，蘭姨娘出去了，她才站在桌子前，衝著爸的後背說：

「施大哥還特意打發小哥來說話，怎麼辦呢？」

「驚麼該？」爸的腦袋挺著。

「怕什麼？你總是招些惹事的人來！好容易這幾天神出鬼沒的德先沒來，你又把人家下堂的姨太太留下了，施大哥知道了怎麼說呢？」

「你平常跟她也不錯，你好意思拒絕她嗎？而且小哥遲來了一步，是她先進來的呀！」

這時候蘭姨娘進來了，爸媽停止了爭論，媽沒好氣的叫我：

「英子，到對門藥鋪給我買包豆蔻來，錢在抽屜裡。」

「林太太，你怎麼，又胃疼啦？林先生，準又是你給氣的吧？」蘭姨娘說完笑嘻嘻的。

我從抽屜裡拿了三大枚，心裡想著：豆蔻嚼起來涼颼颼的，很有意思。蘭姨娘在家裡住下多麼好！她可以常常帶我到城南遊藝園去，大戲場裡是雪豔琴的〈梅玉配〉，文明戲場裡是張笑影的〈鋸碗丁〉，大鼓書場裡是梳辮子的女人唱大鼓，還要吃小有天的冬菜包子。我一邊跑出去，一邊高興的想，眼裡滿都是那鑼鼓喧天的歡樂場面。

二

蘭姨娘在我們家住了一個禮拜了，家裡到處都是她的語聲笑影。爸上班去了，媽到廣安市場買菜去了，她跟宋媽也有說有笑的。她把施家老伯伯罵個夠，先從施伯伯的老模樣兒說起，再說他的吝嗇、他的刻薄、他的不通人情，然後又小聲和宋媽說些什麼，她們笑得吱吱喳喳的，奶媽高興得眼淚都擠出來了。

蘭姨娘圓圓扁扁的臉兒，一排整整齊齊的白牙，我最喜歡她左邊那顆鑲金的牙，笑時左嘴角向上一斜，金牙就很合適的露出來。左嘴巴還有一處酒渦，隨著笑聲打漩兒。

她的麻花髻梳得比媽的元寶髻俏皮多了，看她把頭髮擰成兩股，一來二去就盤成一個髻，一排茉莉花總是清幽幽、半彎身的臥在那髻旁。她一身輕俏，掖在右襟上的麻紗手絹，一朵白菊花似的貼在那裡。跟蘭姨娘坐一輛洋車上很舒服，她摟著我，連說：「往裡靠，往裡靠。」不像媽，黑花絲葛的裙子裡，年年都裝著一個大肚子。跟媽坐一輛洋車，她的大肚子把我頂得不好受，她還直說：「別擠我行不行！」現在媽又大肚子了。

有了蘭姨娘，媽做家事倒也不寂寞，她跟媽有訴說不盡的心事，奶媽，張媽，都喜歡靠攏來聽，我也「小魚上大串兒」的擠在大人堆裡，仰頭望著蘭姨娘那張有表情的臉。她問媽說：

「林太太，你生英子十幾歲？」

「才十六歲。」媽說。

蘭姨娘笑了：

「我開懷也只十六歲。」

「什麼開懷？」我急著問。

「小孩子別亂插嘴！」媽叱責我，又向蘭姨娘說：「當著孩子說話要小心，英子鬼著呢，會出去亂說。」

蘭姨娘歎了口氣：

「我十四歲從蘇州被人帶進了北京，十六歲那什麼，四年見識了不少人，二十歲到底還是跟了施大這個老鬼……」

「施大哥今年到底高壽了？」媽打岔問。

「管他多大！六十，七十，八十，反正老了，老得很！」

「我記得他是六十——六十幾來著？」媽還是追問。

「他呀，」蘭姨娘噗哧笑了，看著我：「跟英子一般大，減去一個甲子，才八歲！」

「你倒也跟了他五年了，你今年不是二十五歲了麼？」

「別看他六十八歲了，硬朗著呢！再過下去，我熬不過他，他們一家人對付我一個人，我還有幾個五年好活！我不願意把年輕的日子埋在他們家。可是，四海茫茫，我出來了，又該怎麼樣呢？我又沒有親人，蘇州城裡倒有一個我三歲就把我賣了的親娘，她住在哪條街上，我也記不得了呀！就記得那屋裡有一盞油燈，照著躺在床上的哥哥，他病了，我娘坐在床邊哭，應該就是爲了這病哥哥才把我賣的吧！想起來夢似的，也不知道是我亂想的，還是眞的……」

蘭姨娘說著，眼裡閃著淚光，是她不願意哭出來吧，嘴上還勉強笑著。

媽不會說話，笨嘴拙舌的，也不勸勸蘭姨娘。我想到去年七月半在北海看燒法船的時候，在人群裡跟媽撒開了手，還急得大哭呢，一個人怎麼能沒有媽？三歲就沒了媽，我也要哭了，我說：

「蘭姨娘，就在我們家住下，我爸爸就愛留人住下，空房好幾間呢！」

「乖孩子，好心腸，明天書念好了當女校長去，別嫁人，天底下男人沒好的！

要是你爸媽願意，我就跟你們家住一輩子，讓我拜你媽當姊姊，問她願意不願意？」蘭姨娘笑著說。

「媽願意吧？」我眞的問了。

「願——意呀！」媽的聲音好像在醋裡泡過，怎麼這麼酸！

我可是很開心，如果蘭姨娘能夠好久好久的停留在我們家的話。她怎麼也說我要當女校長呢？有一次，我站在對街的測字攤旁看熱鬧，測字的先生忽然從他的後領裡抽出一把摺扇，指著我對那些要算命的人說：「看見沒有？這個小姑娘趕明兒能當女校長，她的鼻子又高又直，主意大著呢！有男人氣。」蘭姨娘的話，測字先生的話，讓人聽了都舒服得很，使我覺得自己很了不起。

爸對蘭姨娘也不錯，那天我跟著爸媽到瑞蚨祥去買衣料，媽高高興興的爲我和弟弟、妹妹們挑選了一些衣料之後，爸忽然對我說：

「英子，你再挑一件給你蘭姨娘，你知道她喜歡什麼顏色的嗎？」

「知道知道，」我興奮得很，「她喜歡一件蛋青色的印度綢，鑲上一道黑邊兒，再壓一道白芽兒……」我比手劃腳說得高興，一回頭看見坐在玻璃櫃旁的媽，媽正皺著眉頭在瞪我。夥計早把深深淺淺的綢子捧來好幾匹，爸挑了一色最淺的，低聲下氣的遞到媽面前說：

「你看看這料子還好嗎？是眞絲的嗎？」

媽綳住臉，抓起那匹布的一端，大把的一攥，拳頭緊緊的，像要把誰攥死。手鬆開來，那團綢子也慢慢散開，滿是縐痕，媽說：

「你看好就買吧，我不懂！」

我也眞不懂媽爲什麼忽然跟爸生氣，直到有一天，在那雲煙繚繞的鴉片煙香中，我才也聞出那味道的不對。

那個做六九公債的胡伯伯，常來我家打牌，他有一套煙具擺在我們家，爸爸有時也躺在那裡陪胡伯伯玩兩口。

蘭姨娘很會燒煙，因爲施伯伯也是抽大煙的。是要吃晚飯的時候了，爸和蘭姨娘橫躺在床上，面對面，枕著荷葉邊的繡花枕頭，上面是媽繡的拉鎖牡丹花，中間那份煙具我很喜歡，像爸給我從日本帶回來的一盒玩具。白銅煙盤裡擺著小巧的煙燈，冒著青黃的火苗，蘭姨娘用一根銀籤子從一個洋錢形的銀盒裡挑出一撮煙膏，在煙燈上燒得滋滋的響，然後把煙泡在她那紅紅的掌心上滾滾，就這麼來回燒著滾著，燒好了插在煙槍上，把銀籤子抽出來，中間正是個小洞口。煙槍遞給爸，爸嘬著嘴，對著燈火嘛嘛的抽著。我坐在小板凳上看蘭姨娘的手看愣了，那燒煙的手法，眞是熟巧。忽然，在噴雲吐霧裡，蘭姨娘的手，被爸一把捉住了，爸說：

「你這是硃砂手，可有福氣呢！」

蘭姨娘用另一隻手把爸的手甩打了一下，抽回手去，笑瞪著爸爸：

「別胡鬧！沒看見孩子？」

爸也許眞的忘記我在屋裡了，他側抬起頭，衝我不自然的一笑，爸的那副嘴臉！我打了一個冷顫，不知怎麼，立刻想到媽。我站起來，掀起布簾子，走出臥室，往外院的廚房跑去，我不知道爲什麼要在這時候找母親，跑到廚房，我喊了一聲：「媽！」背手倚著門框。

媽站在大爐灶前，頭上滿是汗，臉通紅，她的肚子太大了，向外挺著，挺得像要把肚子送給人！鍋裡油熱了，冒著煙，她把菜倒在鍋裡，才回過頭來不耐煩的問我：

「幹麼？」我回答不出，直著眼看媽的臉，她急了，又催我：「說話呀！」

我被逼得找話說，看她呱呱呱的用鏟子敲著鍋底，把炒熟的菜裝在盤子裡，那手法也是熟巧的，我只好說：

「我餓了，媽。」

媽完全不知道剛才的那一幕使我多麼同情她，她只是罵我：

「你急什麼？吃了要去赴死嗎？」她揚起鍋鏟趕我：「去去去，熱得很，別在我這兒搗亂！」

在我的淚眼中，媽媽的形象模糊了，我終於「哇」的一聲哭了出來。宋媽把我一把拉出了房，她說什麼？「一點兒都不知道心疼你媽，看這麼熱天，這麼大肚子！」

我聽了跳起腳來哭。

蘭姨娘也從裡院跑出來了，她說：

「剛才不是還好好的嗎？這會工夫怎麼又搗亂搗到廚房來啦！」

媽說：

「去叫她爸爸來揍她！」

天快黑了，我被圍在家中女人們的中間，她們越叫我吃飯，我越傷心；她們越說我不懂事，我越哭得厲害。

在雜亂中，我忽然看見一個白色的影子從我身旁擦過，是——是多日不見的德先叔，他連看都不看我一眼，直往裡院走。看著他那輕飄飄白綢子長衫的背影，我咬起牙，恨一切在我眼前的人；包括德先叔在內。

三

第二天早晨，我是全家最遲起來的人，醒來我還閉著眼睛想，早點是不是應當繼續絕食下去？昨天抽大煙鬧硃砂手的事，給我的不安還沒有解開，她使我想到幾件事：我記得媽跟別人說過，爸爸在日本吃花酒，一家挨一家，吃一整條街，從天黑吃到天亮，媽就在家裡守到天亮，等著一個醉了的丈夫回來。我又記得我們住在城裡時，每次到城南遊藝園聽夜戲回來，車子從胭脂胡同、韓家潭穿過時，宋媽總會把我從睡夢中推醒：「醒醒，醒醒，大小姐！看，多亮！」我睜開眼，原來正經過輝煌光亮的胡同，各家門前掛著圍了小電燈紮彩的鏡框，上面寫著什麼「弟弟」、「黛玉」、「綠琴」等等字樣，奶媽跟我說過，蘭姨娘沒到施伯伯家以前，也是在這種地方住。她們是刮男人的錢、毀男人的家的壞東西！因為這樣，所以一看到爸和蘭姨娘那樣的事，覺得使媽受了委屈，使我們都受了委屈。把原來喜歡蘭姨娘的心，打了大大的折扣，我又恨，又怕。

我起床了，要到前院去，經過廂房時，一晃眼看見蘭姨娘正在窗前的桌上摸骨牌，玩她的過五關斬六將，我裝著沒看見，直走過去，因為心中還恨恨的。

「英子！」蘭姨娘隔著窗子在叫我。

我不得不進屋了，蘭姨娘推開桌上的骨牌，站起來拉著我的手，溫柔的說：

「看你這孩子，昨天一晚上把眼睛都哭腫了，飯也沒吃。」她撫摩著我的頭髮，我繃著勁兒，一點笑容都沒有。她又說：

「別難過，後天就是七月十五了，你要提什麼樣的蓮花燈，蘭姨娘給你買。」

我搖搖頭，她又自管自的接著說：

「你不是說要特別花樣的嗎？我幫你做個西瓜燈，好哦？要把瓜吃空了，皮削脫，剩薄薄格一層瓤子，裡面點上燈，透明格，蠻有趣。」

蘭姨娘話說多了，就不由得帶了她家鄉的口音，輕輕軟軟，多麼好聽！我被她說得回心轉意了，點點頭。

她見我答應了也很高興，忽然又閒話問我：

「昨天跟你爸瞎三話四，講到半夜的那隻四眼狗是什麼人？」

「四眼狗？」我不懂。

蘭姨娘淘氣的笑了，她用手掌從臉上向下一抹，手指彎成兩個圈，往眼睛上一比：

「喏！就是這個人呀！」

「啊——那是我德先叔。」

這時，不知是什麼心情，忽然使我站在德先叔這一邊了，我有意把德先叔叫得親熱些，並且說：

「他是很有學問的，所以要戴眼鏡。他在北京大學念書，爸說，他是頂、頂、頂新的新青年，很了不起！」我挑著大拇指說，很有把蘭姨娘卑賤的身分更壓下去的意思。

「原來是大學生呀！」蘭姨娘倒也緩和了，「那麼就是你媽說過，常住在你們家躲風聲的那個大學生嘍？」

「是。」

「好，」蘭姨娘點點頭笑說：「你爸爸的心眼兒蠻好的，三六九等的人都留下了。」

我從蘭姨娘的屋裡出來，就不由得往前院德先叔住的南屋走去。我有權利去，因爲南屋書桌抽屜裡放著我的功課，我的小布人兒，我的《兒童世界》，德先叔正占用那書桌，我走進去就不客氣的拉開書桌抽屜，翻這翻那，毫無目的。他被我在他身旁鬧得低下頭來看。我說：

「我的小刀呢？剪子呢？蘭姨娘要給我做西瓜燈哪！」

「那個蘭姨娘是你家什麼人？我以前怎麼沒見過？」我多麼高興蘭姨娘引起他的注意了。

「德先叔，你說那個蘭姨娘好看不好看？」

「我不知道，我沒看清楚。」

「她可看清楚你了，她說，你的眼睛很神氣，戴著眼鏡很有學問。」我想到「四眼狗」，簡直不敢正眼朝他臉上看，只聽見他說：

「哦？——哦？」

吃午飯的時候，德先叔的話更多了，他不那樣旁若無人的總對爸一個人說話了，也不時轉過頭向蘭姨娘表示徵求意見的樣子，但是蘭姨娘只顧給我夾菜，根本不留神他。

下午，我又溜到蘭姨娘的屋裡。我找個機會對蘭姨娘說：

「德先叔誇你哩！」

「誇我？誇我什麼呀？」

「我早上到書房去找剪刀，他跟我說：『你那個蘭姨娘，很不錯呀！』」

「喲！」蘭姨娘抿著嘴笑了，「他還說什麼？」

「他說——他說，他說你像他的一個女同學。」我瞎說。

「那——人家是大學堂的，我怎麼比得了！」

晚飯桌上，蘭姨娘就笑瞇瞇的了，跟德先叔也搭搭話。爸更高興，他說：

「我這個人就是喜歡幫助落難的朋友，別人不敢答應的事，我不怕！」說著，他就拍拍胸脯。爸酒喝得夠多，眼睛都紅了，笑嘻嘻斜乜著眼看蘭姨娘。媽的臉色好難看，站起來去倒茶，我的心又冷又怕，好像和媽媽被丟在荒野裡。

我整日守著蘭姨娘，不讓她有一點點機會跟爸單獨在一起。德先叔這次住在我們家倒是很少出去，整天待在屋裡發愣，要不就在院子裡晃來晃去的。

七月十五日的下午，蘭姨娘的西瓜燈完成了。一吃過晚飯，天還沒有黑，我就催著蘭姨娘、宋媽，還有二妹，點上自己的燈到街上去，也逛別人的燈。臨走的時候，我跑到德先叔的屋裡，我說：

「我和蘭姨娘去逛蓮花燈，您去不去？我們在京華印書館大樓底下等您！」說完我就跑了。

行人道上擠滿了提燈和逛燈的人，我的西瓜燈很新鮮，很引人注意。但是不久我們就和宋媽、二妹她們走散了，我牽著蘭姨娘的手，一直往西去，到了京華印書館的樓前停下來，我假裝找失散的宋媽她們，其實是在盼望德先叔。我在附近東張西望一陣沒看見，失望的回到樓前來，誰知道德先叔已經來了，他正笑瞇瞇的跟蘭姨娘點頭，蘭姨娘有點不好意思，也點頭微笑著。德先叔說：

「密斯黃，對於民間風俗很有興趣。」

蘭姨娘彷彿很吃驚，不自然的說：

「哪裡，哄哄孩子！您，您怎麼知道我姓黃？」

我想蘭姨娘從來沒有被人叫過「密斯黃」吧，我知道，人家沒結過婚的女學生才叫「密斯」，蘭姨娘倒也配！我不禁撇了一下嘴，心裡眞不服氣，雖然我一心想把蘭姨娘跟德先叔拉在一起。

「我聽林太太講起過，說密斯黃是一位很有志氣的，敢向惡劣環境反抗的女性！」德先叔這麼說就是了，我不信媽這樣說過，媽根本不會說這樣的話。

這一晚上，我提著燈，蘭姨娘一手緊緊的按在我的肩頭上，倒像是我在領著一個瞎子走夜路。我們一路慢慢走著，德先叔和蘭姨娘中間隔著一個我，他們在低低的談著，蘭姨娘一笑就用小手絹捂著嘴。

第二天我再到德先叔屋裡去，他跟我有得是話說了，他問我：

「你蘭姨娘都看些什麼書，你知道嗎？」

「她正在看《二度梅》，你看過沒有？」

德先叔難得向我笑笑，搖搖頭，他從書堆裡翻出一本書遞給我說：「拿去給她看吧。」

我接過來一看，書面上印著：「易卜生戲劇集：傀儡家庭」。第三天，我給他們傳遞了一次紙條。第四天我們三個人去看了一次電影，我看不懂，但是蘭姨娘看了當時就哭得欷欷的，德先叔遞給她手絹擦，那電影是李麗吉舒主演的《二孤女》。第五天我們走得更遠，到了三貝子花園。

從三貝子花園回來，我興奮得不得了，恨不得飛回家，飛到媽的身邊告訴她；我在三貝子花園暢觀樓裡照哈哈鏡玩時，怎樣一回頭看見蘭姨娘和德先叔手拉手，那副肉麻相！而且我還要把全部告訴媽！但是回到家裡，臥室的門關了，宋媽不許我進去，她說：

「你媽給你又生了小妹妹！」

直到第二天，我才溜進去看，小妹妹瘦得很，白蒼蒼的小手，像雞爪子，可是那接生的產婆山田太太直誇讚，她來給妹妹洗澡，一打開小被包，露出妹妹的雞爪子，她就用日本話拉長了聲說：

「可愛いい——！可愛いい——！」（可愛呀！可愛呀！）

媽端著一碗香噴噴的雞酒煮掛麵，望著澡盆裡的小肉體微笑著。她沒注意我正在床前的小茶几旁打轉。我很喜歡媽生小孩子。因為可以跟著揩油吃些什麼，小茶几上總有雞酒啦、奶粉啦、黑糖水啦，我無所不好。但是我今天更興奮的是，心裡擱著一件事，簡直是非告訴她不可啦！

媽一眼看見我了：

「我好像好幾天都沒看見你了，你在忙什麼呢？這麼熱的天，又野跑到那兒去了？」

「我一直在家裡，您不信問蘭姨娘好了。」

「昨天呢？」

「昨天——」

我也學會了鬼鬼祟祟，擠到媽床前，小聲說：「蘭姨娘沒告訴您嗎？我們到三貝子花園去了。媽，收票的大高人，好像更高了，我們三個人還跟他合照了一張像呢，我只到那人這裡……」

「三個人？還有一個是誰？」

「您猜。」

「左不是你爸爸！」

「您猜錯了，」看媽的一副苦相，我想笑，我不慌不忙的學著蘭姨娘，用手掌從臉上向下一抹，然後用手指彎成兩個圈往眼睛上一比，我說：

「喏！就是這個人呀！」

媽皺起眉頭在猜：

「這是誰？難道？難道是？——」

「是德先叔。」我得意的搖晃著身體，並且拍拍我的新妹妹的小被包。

「眞的？」媽的苦相沒了，又換了一副急相，「到底是怎麼回事？你說，你從頭兒說。」

我從四眼狗講到哈哈鏡，媽聽我說得出了神，她懷中的瘦雞妹妹早就睡著了，她還在搖著。

「都是你一個人搗的鬼！」媽好像責備我，可是她笑得那麼好看。

「媽，」我有好大的委屈，「您那天還要叫爸揍我呢！」

「對了，這些事你爸知道不？」

「要告訴他麼？」

「這樣也好，」媽沒理我，她低頭呆想什麼，微笑著自言自語的說。然後她又好像想起了什麼，抬起頭來對我說：

「你那天說要買什麼來著？」

「一副滾鐵環，一雙皮鞋，現在我還要加上訂一整年的《兒童世界》。」我毫不遲疑的說。

四

爸正在院子裡澆花，這是他每天的功課，下班回家後，他換了衣服，總要到花池子花盆前擺弄好一陣子。那幾盆石榴，春天爸給施了肥，滿院子麻渣臭味，到五月，火紅的花朵開了，現在中秋了，肥碩的大石榴都咧開了嘴向爸笑！但是今天爸並不高興，他站在花前發呆。我看爸瘦瘦高高，穿著白紡綢褲褂的身子，晃晃盪盪的，顯得格外的寂寞，他從來沒有這樣過。

宋媽正在開飯，她一趟趟的往飯廳裡運碗運盤，今天的菜很豐富，是給德先叔和蘭姨娘送行。

我正在屋裡寫最後的大字。今年暑假過得很快樂，很新奇，可是暑假作業全丟下沒有做，這個暑假沒有人管我了。蘭姨娘最初還催著我寫九宮格，後來她只顧得看《傀儡家庭》了，就懶得理我的功課。九宮格裡塡滿了我的潦草的墨跡，一張又一張的，我不像是學字；比鬼畫符還難看。我從窗子正看到爸的白色的背影，不由得停下了筆，不知怎麼，心裡覺得很對不起爸。

我很納悶兒，德先叔和蘭姨娘是怎麼跟爸提起他們要一起走的事呢？我昨天晚上要睡覺時一進屋，只聽到爸對媽說：

「……我怎麼一點兒都不知道？」

我不知道爸說的是什麼事，所以起初沒注意，一邊換衣服一邊想我自己的事：還有兩天就開學了，明天可該把大字補寫出來了，可是一張九個字，十張九十個字，四十張三百六十個字，讓我怎麼趕呀！還是求求蘭姨娘給幫忙吧。這時我又聽見媽說：

「這種事怎麼能教你知道了去！哼！」媽冷笑了一下。

「那麼你知道？」

「我？我也不知道呀！德先是怎麼跟你提起的？」

「他先是說，這些日子風聲又緊了，他必得離開北京，他打算先到天津看看，再坐船到上海去。隨後他又說：『我有一件事要告訴大哥的，密斯黃預備和我一起走。』……」我這時才明白是講的什麼事，好奇的仔細聽下去。

「哼！你聽德先講了還不吃一驚！」媽說。

「驚麼該！」爸不服氣，「不過出乎意料就是了，你眞一點都不知道，一點都沒看出來？」

「我從哪兒知道呢？」媽簡直瞎說！停了一下媽又說：「平常倒也彷彿看出有那麼點兒意思。」

「那爲什麼不跟我說？」

「喲！跟你說，難道你還能攔住人家不成，我看他們這樣很不錯。」

「好固然好，可是我對於德先這種偷偷摸摸的行爲不贊成。」

媽聽了從鼻子裡笑了一聲，一回頭看見了我，就罵我：

「小孩子聽什麼！還不睡去！」

爸坐在那兒，兩腿交疊著，不住的搖，我眞想上前告訴他，在三貝子花園門口合照的相，德先叔還在上面題了字：「相逢何必曾相識」，蘭姨娘給我講了好幾遍呢！可是我怕說出來爸會罵我，打我。我默默的爬上床，躺下去，又聽媽說：

「他們決定明天就走嗎？那總得燒幾樣菜送送他們吧？」

「隨便你吧！」

我再沒聽到什麼了，心裡只覺得捨不得蘭姨娘，眼睛勉強睜開又閉上了。夢裡還在寫大字，蘭姨娘按著我的右肩頭，又彷彿是在逛燈的那晚上，我想舉筆寫字，她按得緊，抬不起手，怎麼也寫不成……

可是現在我正一張一張的寫，終於在晚飯前寫完了，我帶著一嘴的黑鬍子和黑手印上了飯桌，蘭姨娘先笑了：

「你的大字倒刷好了？」

我今天挨著蘭姨娘坐，心中真覺得捨不得，媽直讓酒，向蘭姨娘和德先叔說：

「你們倆一路順風！」

爸不用人讓，把自己灌得臉紅紅的，頭上的青筋一條條像蚯蚓一樣的暴露著，他舉著酒杯伸出頭，一直伸到蘭姨娘的臉面，蘭姨娘直朝後閃躲，嘴裡說：

「林先生，你別再喝了，可喝不少了。」

爸忽然又直起身子來，做出老大哥的神氣，醉言醉語的說：

「我這個人最肯幫朋友的忙，最喜歡成全朋友，是不是？德先，你可得好好待她喲！她就像我自家的妹子一樣喲！」爸又轉過頭來向蘭姨娘說：「要是他待你不好，你儘管回到我這裡來。」蘭姨娘嬌羞的笑著，就彷彿她是十八歲的大姑娘剛出嫁。

宋媽在旁邊伺候，也笑瞇著，用很新鮮的眼光看蘭姨娘。同時還把灑了雙妹花露水的毛巾，一回又一回的送給爸爸擦臉。

馬車早就叫來停在大門口了。我們是全家上下在門口送行的，連剛滿月的小妹妹都抱出大門口見風了。

黃昏的虎坊橋大街很熱鬧，來來往往的，眼前都是人，也有鄰居圍在馬車前等著看新鮮，宋媽早就告訴人家了吧！

蘭姨娘換了一個人，她的油光刷亮的麻花髻沒有了，現在頭髮剪的是華倫王子式！就跟我故事書裡畫的一樣：一排頭髮齊齊的齊著眉毛，兩邊垂到耳朵邊。身上穿的正是那件蛋青綢子旗袍，做成長身坎肩另接兩隻袖子樣式的，脖子上圍一條白紗，斜斜的繫成一個大蝴蝶結，就跟在女高師念書的張家三姨打扮得一樣樣！

她跟爸媽說了多少感謝的話，然後低下身來摸著我的臉說：

「英子，好好的念書，可別像上回那麼招你媽生氣了，上三年級可是大姑娘嘍！」

我想哭，也想笑，不知什麼滋味，看蘭姨娘德先叔同進了馬車，隔著窗子還跟我們招手。

那馬車越走越遠越快了，揚起一陣滾滾灰塵，就什麼也看不清了。我仰頭看爸爸，他用手摸著胸口，像媽每次生了氣犯胃病那樣，我心裡只覺得有些對爸不起，更是同情。我輕輕推爸爸的大腿，問他：

「爸，你要吃豆蔻嗎？我去給你買。」

他並沒有聽見，但衝那遠遠的煙塵搖搖頭。

驢打滾兒

換綠盆兒的，用他的藍布撢子的把兒，使勁敲著那個兩面釉的大綠盆說：

「聽聽！您聽聽！什麼聲兒！哪找這綠盆兒去，賽江西瓷！您再添吧！」

媽媽用一堆報紙、三雙舊皮鞋、兩個破鐵鍋要換他的四隻小板凳、一塊洗衣服板；宋媽還要饒一個小小綠盆兒，留著拌黃瓜用。

我呢，抱著一個小板凳不放手。換綠盆兒的嚷著要媽媽再添東西。一件舊棉襖、兩疊破書都加進去了，他還說：

「添吧，您。」

媽說：「不換了！」叫宋媽把東西搬進去，我著急買賣不能成交，凳子要交還他，誰知換綠盆兒的大聲一喊：

「拿去吧！換啦！」他揮著手垂頭喪氣的說：「唉！誰讓今兒個沒開張哪！」

四個小板凳就擺在對門的大樹蔭底下，宋媽帶著我們四個人——我、珠珠、弟弟，燕燕——坐在新板凳上講故事。燕燕小，擠在宋媽的身邊，半坐半靠著，吃她的手指頭玩。

「你家小栓子多大了？」我問。

「跟你一般兒大，九歲嘍！」

小栓子是宋媽的兒子。她這兩天正給我們講她老家的故事；地裡的麥穗長啦，山坡的青草高啦，小栓子摘了狗尾巴花紮在牛犄角上啦。她手裡還拿著一隻厚厚的鞋底，用粗麻繩納得密密的，是給小栓子做的。

「那麼他也上三年級啦？」我問。

「鄉下人有你這好命兒？他成年價給人看牛哪！」她說著停了手裡的活兒，舉起錐子在頭髮裡劃幾下，自言自語的說：「今年個，可得回家看看了，心裡老不順序。」她說完愣愣的，不知在想什麼。

「那麼你家丫頭子呢？」

其實丫頭子的故事我早已經知道了，宋媽講過好幾遍。宋媽的丫頭子和弟弟一樣，今年也四歲了。她生了丫頭子，才到城裡來當奶媽，一下就到我們家，做了弟弟的奶媽。她的奶水好，弟弟吃得又白又胖。她的丫頭子呢，就在她來我家試妥了工以後，讓她的丈夫抱回鄉下去給人家奶去了。我問一次，她講一次，我也聽不膩就是了。

「ㄚ頭子呀，她花錢給人家奶去啦！」宋媽說。

「將來還歸不歸你？」

「我的姑娘不歸我？你歸不歸你媽？」她反問我。

「那你爲什麼不自己給奶？爲什麼到我家當奶媽？爲什麼你賺的錢又給了人家去？」

「爲什麼？爲的是——說了你也不懂，俺們鄉下人命苦呀！小栓子他爸爸沒出息，動不動就打我，我一狠心就出來當奶媽自己賺錢！」

我還記得她剛來的那一天，是個冬天，她穿著大紅棉襖；裡子是白布的，油亮亮的很髒了。她把奶頭塞到弟弟的嘴裡，弟弟就咕嘟咕嘟的吸呀吸呀，吃了一大頓奶，立刻睡著了，過了很久才醒來，也不哭了。就這樣留下她當奶媽的。

過了三天，她的丈夫來了，拉著一匹驢，拴在門前的樹幹上。他有一張大長臉，黃板兒牙，怎麼這麼難看！媽媽下工錢了，摺子上寫著：一個月四塊錢，兩副銀首飾，四季衣裳，一床新鋪蓋，過一年零四個月才許回家去。

穿著紅棉襖的宋媽，把她的小孩子包裹在一條舊花棉被裡，交給她的丈夫。她送她的丈夫和孩子出來時，哭了，背轉身去掀起衣襟在擦眼淚，半天抬不起頭來。

媒人店的老張勸宋媽說：

「別哭了，小心把奶憋回去。」

宋媽這才止住哭，她把錢算給老張，剩下的全給了她丈夫。她囑咐她丈夫許多話，她的丈夫說：

「你放心吧。」

他就抱著孩子牽著驢，走遠了。

到了一年四個月，黃板兒牙又來了，他要接宋媽回去，但是宋媽捨不得弟弟，媽媽又要生小孩，就把她留下了。宋媽的大洋錢，數了一大垛交給她丈夫，他把錢放進藍布褡褳裡，叮叮噹噹的，牽著驢又走了。

以後他就每年來兩回，小叫驢拴在院子裡牆犄角，弄得滿地的驢糞球，好在就一天，他準走。隨著驢背滾下來的是一個大蔴袋，裡面不是大花生，就是大醉棗，是他送給老爺和太太——我爸爸和媽媽。鄉下有得是。

我簡直想不出宋媽要是真的回她老家去，我們家會成什麼樣兒？誰給我老早起來梳辮子上學去？誰餵燕燕吃飯？弟弟挨爸爸打的時候誰來護著？珠珠拉了屎誰來給擦屁股？我們都離不開她呀！

可是她常常要提回家去的話，她近來就問了我們好幾次：「我回俺們老家去好不好？」

「不許啦！」除了不會說話的燕燕以外，我們齊聲反對。

春天弟弟出麻疹鬧得很兇，他緊閉著嘴不肯喝那蘆根湯，我們圍著鼻子眼睛起滿了紅疹的弟弟。媽說：

「好，不吃藥，就叫你奶媽回去！回去吧！宋媽！把衣服，玩意兒，都送給你們小栓子，小丫頭子去！」

宋媽假裝一邊往外走一邊說：

「走嘍！回家嘍！回家找俺們小栓子，小丫頭子去喲！」

「我喝！我喝！不要走！」弟弟可憐巴巴的張開手，要過媽媽手裡的那碗蘆根湯，一口氣喝下了大半碗。宋媽心疼得什麼似的，立刻摟抱起弟弟，把頭靠著弟弟滾燙的爛花臉兒說：

「不走！我不會走！我還是要俺們弟弟，不要小栓子，不要小丫頭子！」跟著，她的眼圈可紅了，弟弟在她的拍哄中漸漸睡著了。

前幾天，一個管宋媽叫大嬸兒的小夥子來了，他來住兩天，想找活兒作。他會用鐵絲給大門的電燈編燈罩兒，免得燈泡兒被賊偷走。宋媽問他說：

「你上京來的時候，看見我們小栓子好吧？」

「嗯。」他好像吃了一驚，瞪著眼珠，「我倒沒看見，我是打劉村我舅舅那兒來的！」

「噢。」宋媽懷著心思的呆了一下，又問：「你打你舅舅那兒來的，那，俺們丫頭子給劉村的金子他媽奶著，你可聽說孩子結實嗎？」

「哦！」他又是一驚，「沒——沒聽說。準沒錯兒，放心吧！」

停一下他可又說：

「大嬸兒，您要能回趟家看看也好，三、四年沒回去啦！」

等到這個小夥子走了，宋媽跟媽媽說，她聽了她姪子的話，吞吞吐吐的，很不放心。

媽媽安慰她說：

「我看你這姪兒不正經，你聽，他一會兒打你們家來，一會兒打他舅舅家來。他自己的話都對不上，怎麼能知道你家孩子的事呢！」

宋媽還是不放心，她說：

「打今年個一開年，我心裡就老不順序，做了好幾回夢啦！」

她叫了算命的給解夢。禮拜那天又叫我替她寫信。她老家的地名我已經背下了：順義縣牛欄山馮村妥交馮大明吾夫平安家信。

「念書多好，看你九歲就會寫信，出門丟不了啦！」

「信上說什麼？」我拿著筆，鋪一張信紙，逞起能來。

「你就寫呀，家裡大小可平安？小栓子到野地裡放牛要小心，別淨顧得下水裡玩，我給做好了兩雙鞋一套褲褂。丫頭子那兒別忘了到時候送錢去！給人家多道道乏。拿回去的錢前後快二百塊了，後坡的二分地該贖就贖回來，省得老種人家的地。還有，我這兒倒是平安，就是惦記著孩子，趕下個月要來的時候，把栓子帶來我瞅瞅也安心。還有……」

「這封信太長了！」我攔住她沒完沒了的話，「還是讓爸爸寫吧！」爸爸給她寫的信寄出去，宋媽這幾天很高興。現在，她問弟弟說：

「要是小栓子來，你的新板凳給不給他坐？」

「給呀！」弟弟說著立刻就站起來。

「我也給。」珠珠說。

「等小栓子來，跟我一塊兒上附小念書好不好？」我說。

「那敢情好，祇要你媽答應讓他在這兒住著。」

「我去說！我媽媽很聽我的話。」

「小栓子來了，你們可別笑他呀，英子，你可是頂能笑話人！他是鄉下人，可土著呢！」宋媽說的彷彿小栓子等會兒就到似的。她又看看我說：

「英子，他準比你高，四年了，可得長多老高呀！」

宋媽高興得抱起燕燕，放在她的膝蓋上。膝蓋頭顛呀顛的，她唱起她的歌：

「雞蛋雞蛋殼殼兒，裡頭坐個哥哥兒，哥哥出來賣菜，裡頭坐個奶奶，奶奶出來燒香，裡頭坐個姑娘，姑娘出來點燈，燒了鼻子眼睛！」

她唱著，用手扳住燕燕的小手指，指著鼻子和眼睛，燕燕笑得格格的。

宋媽又唱那快板兒的：

「槐樹槐，槐樹槐，槐樹底下搭戲台，人家姑娘都來到，就差我的姑娘還沒來；說著說著就來了，騎著驢，打著傘，光著屁股挽著髻……」

太陽斜過來了，金黃的光從樹葉縫裡透過來，正照著我的眼，我隨著宋媽的歌聲，斜頭躲過晃眼的太陽，忽然看見遠遠的胡同口外，一團黑在動著。我舉起手遮住陽光仔細看，眞是一匹小驢，得、得、得的走過來了。趕驢的人，藍布的半截褂子上，蒙了一層黃土。喲！那不是黃板兒牙嗎？我喊宋媽：

「你看，眞有人騎驢來了！」

宋媽停止了歌聲，轉過頭去呆呆的看。

黃板兒牙一聲：「窩——哦！」小驢停在我們的面前。

宋媽不說話，也不站起來，剛才的笑容沒有了，繃著臉，眼直直瞅著她的丈夫，彷彿等什麼。

黃板兒牙也沒說話，撲撲的撣打他的衣服，黃土都飛起來了。我看不起他！拿手搗著鼻子。他又摘下了草帽搧著，不知道跟誰說：

「好熱呀！」

宋媽這才好像忍不住了，問說：

「孩子呢？」

「上——上他大媽家去了。」他又抬起腳來撣鞋，沒看宋媽。他的白布的襪子都變黃了；那也是宋媽給做的。他的襪子像鞋一樣，底子好幾層，細針密線兒納出來的。

我看著驢背上的大麻袋，不知道裡面這回裝的是什麼。黃板兒牙把口袋拿下來解開了，從裡面掏出一大捧烤得倍兒乾的掛落棗給我，咬起來是脆的，味兒是辣的，香的。

「英子，你帶珠珠上小紅她們家玩去，掛落棗兒多拿點兒去，分給人家吃。」宋媽說。

我帶著珠珠走了，回過頭看，宋媽一手收拾起四個新板凳，一手抱燕燕，弟弟拉著她的衣角，他們正向家裡走。黃板兒牙牽起小叫驢，走進我家門，他準又要住一夜。他的驢滿地打滾兒，爸爸種的花草，又要被蹧踐了。

等我們從小紅家回來，天都快黑了，掛落棗沒吃幾個，小紅用細繩穿好全給我掛在脖子上了。

進門看見宋媽和她丈夫正在門道裡。黃板兒牙坐在我們的新板凳上發呆，宋媽蒙著臉哭，不敢出聲兒。

屋裡已經擺上飯菜了。媽媽在餵燕燕吃飯，皺著眉，抿著嘴，又搖頭又歎氣，神氣挺不對。

「媽，」我小聲的叫，「宋媽哭呢！」

媽媽向我輕輕的擺手，禁止我說話。什麼事情這樣的重要？

「宋媽的小栓子已經死了，」媽媽沙著嗓子對我說，她又轉向爸爸：「唉！已經死了一兩年，到現在才說出來，怪不得宋媽這一陣子總是心不安，一定要叫她丈夫來問問。她侄子那次來，是話裡有意思的。兩件事一齊發作，叫人怎麼受！」

爸爸也搖頭歎息著，沒有話可說。

我聽了也很難過，不知道另外還有一件事是什麼，又不敢問。

媽媽叫我去喊宋媽來，我也感覺是件嚴重的事，到門道裡，不敢像每次那樣大聲喝叱她，我輕輕的喊：

「宋媽，媽叫你呢！」

宋媽很不容易的止住抽噎的哭聲，到屋裡來。媽對她說：

「你明天跟他回家去看看吧，你也好幾年沒回家了。」

「孩子都沒了，我還回去幹麼？不回去了，死也不回去了！」宋媽紅著眼狠狠的說，並且接過媽媽手中的湯匙餵燕燕，好像這樣就表示她待定在我們家不走了。

「你家丫頭子到底給了誰呢？能找回來嗎？」

「好狠心呀！」宋媽恨得咬著牙，「那年抱回去，敢情還沒出哈德門，他就把孩子給了人，他說沒要人家錢，我就不信！」

「給了誰，有名有姓，就有地方找去。」

「說是給了一個趕馬車的，公母倆四十歲了沒兒沒女，誰知道他說的是真話假話！」

「問清楚了找找也好。」

原來是這麼一回事兒，宋媽成年跟我們念叨的小栓子和丫頭子，這一下都沒有了。年年宋媽都給他們兩個做那麼多衣服和鞋子，她的丈夫都送給了誰？舊花棉被裡裹著的那個小嬰孩，到了誰家了？我想問小栓子是怎麼死的，可是看著宋媽的紅腫的眼睛，就不敢問了。

「我看你還是回去。」媽媽又勸她，但是宋媽搖搖頭，不說什麼，儘管流淚。她一匙一匙的餵燕燕，燕燕也一口一口的吃，但兩眼卻盯著宋媽看。因爲宋媽從來沒有這個樣子過。

宋媽照樣的替我們四個人打水洗澡，每個人的臉上、脖子上撲上厚厚的痱子粉，照樣把弟弟和燕燕送上了床。只是她今天沒有心思再唱她的打火連兒的歌兒了，光用扇子撲呀撲呀搧著他們睡了覺。一切都照常，不過她今天沒有吃晚飯，把她的丈夫扔在門道兒裡不理他。他呢，正用打火石打亮了火，巴達巴達的抽著旱煙袋。小驢大概餓了，牠在地上臥著，忽然仰起脖子一聲高叫，多麼難聽！黃板兒牙過去打開了一袋子乾草，牠看見吃的，一翻滾，站起來，小蹄子把爸爸種在花池子邊的玉簪花又給踩倒了兩三棵。驢子吃上乾草了，鼻子一抽一抽的，大黃牙齒露著。怪不得，奶媽的丈夫像誰來著，原來是牠！宋媽爲什麼嫁給黃板兒牙，這蠢驢！

第二天早上我起來，朝窗外看去，驢沒了，地上留了一堆糞球，宋媽在打掃。她一抬頭看見了我，招手叫我出去。

我跑出來，宋媽跟我說：

「英子，別亂跑，等會跟我出趟門，你識字，幫我找地方。」

「到哪兒去？」我很奇怪。

「到哈德門那一帶去找找——」說著她又哭了，低下頭去，把驢糞撮進畚箕裡，眼淚掉在那上面，「找丫頭子。」

「好。」我答應著。

宋媽和我偷偷出去的，媽媽哄著弟弟他們在房裡玩。出了門走不久，宋媽就後悔了：

「應當把弟弟帶著，他回頭看不見我準得哭，他一時一刻也沒離開過我呀！」

就是爲了這個，宋媽才一年年留在我家的，我這時仗著膽子問：

「小栓子怎麼死的？宋媽。」

「我不是跟你說過，馮村的後坡下有條河嗎？……」

「是呀，你說，叫小栓子放牛的時候要小心，不要淨顧得玩水。」

「他掉在水裡死的時候，還不會放牛呢，原來正是你媽媽生燕燕那一年。」

「那時候黃板——嗯，你的丈夫做什麼去了？」

「他說他是上地裡去了，他要不是上後坡草棚裡耍錢去才怪呢！準是小栓子餓了一天找他要吃的去，給他轟出來了。不是上草棚，走不到後坡的河裡去。」

「還有，你的丈夫爲什麼要把小丫頭子送給人？」

「送了人不是更鬆心嗎？反正是個姑娘不值錢。要不是小栓子死了，丫頭子，我不要也罷。現在我就不能不找回她來，要花錢就花吧。」

宋媽說，我們從絨線胡同走，穿過兵部窪、中街、西交民巷，出東交民巷就是哈德門大街。我在路上忽然又想起一句話。

「宋媽，你到我們家來，丟了兩個孩子不後悔嗎？」

「我是後悔——後悔早該把俺們小栓子接進城來，跟你一塊兒念書認字。」

「你要找到丫頭子呢，回家嗎？」

「嗯。」宋媽瞎答應著，她並沒有聽清我的話。

我們走到西交民巷的中國銀行門口，宋媽在石階上歇下來，過路來了一個賣吃的也停在這兒。他支起木架子把一個方木盤子擺上去，然後掀開那塊蓋布，在用黃色的麵粉做一種吃的。

「宋媽，他在做什麼？」

「啊？」宋媽正看著磚地在發愣，她抬起頭來看看說，「那叫驢打滾兒。把黃米麵蒸熟了，包黑糖，再在綠豆粉裡滾一滾，挺香，你吃不吃？」

吃的東西起名叫「驢打滾兒」，很有意思，我哪有不吃的道理！我瞧瞧唾沫點點頭，宋媽掏出錢來給我買了兩個。她又多買了幾個，小心的包在手絹裡，我說：

「是買給丫頭子的嗎？」

出了東交民巷，看見了熱鬧的哈德門大街了，但是往哪邊走？我們站在美國同仁醫院的門口。宋媽的背，汗濕透了，她提起竹布褂的兩肩頭抖落著，一邊東看看，西看看。

「走那邊吧，」她指指斜對面，那裡有一排不是樓房的店鋪。走過了幾家，果然看見一家馬車行，裡面很黑暗，門口有人閒坐著。宋媽問那人說：

「跟您打聽打聽，有個趕馬車的老大哥，跟前有一個姑娘的，在您這兒吧？」

那人很奇怪的把宋媽和我上下看了看：

「你們是哪兒的？」

「有個老鄉親託我給他帶個信兒。」

那人指著旁邊的小胡同說：

「在家哪，胡同底那家就是。」

宋媽很興奮，直向那人道謝，然後她拉著我的手向胡同裡走去。這是一條死胡同，走到底，是個小黑門，門雖關著，一推就開了，院子裡有兩三個孩子在玩土。

「勞駕，找人哪！」宋媽大聲喊。

其中一個小孩子就向著屋裡高聲喊了好幾聲：

「姥姥，有人找。」

屋裡出來了一位老太太，她耳朵聾，大概眼睛也快瞎了，竟沒看見我們站在門口，孩子們說話她也聽不見，直到他們用手指著我們，她才向門口走來。宋媽大聲的喊：

「您這院裡住幾家子呀？」

「啊啊就一家。」老太太用手罩著耳朵才聽見。

「您可有個姑娘呀？」

「有呀，你要找孩子他媽呀？」她指著三個男孩子。

宋媽搖搖頭，知道完全不對頭了，沒等老太太說完就說：

「找錯人了！」

我們從哈德門裡走到哈德門外，一共看見了三家馬車行，都問得人家直搖頭。我們就只好照著原路又走回來，宋媽在路上一句話也不說，半天才想起什麼來，對我說：

「英子，你走累了吧？咱們坐車好不？」

我搖搖頭，仰頭看宋媽，她用手使勁捏著兩眉間的肉，閉上眼，有點站不穩，好像要昏倒的樣子。她又問我：

「餓了吧？」說著就把手巾包打開，拿出一個剛才買的驢打滾兒來，上面的綠豆粉已經被黃米麵溶濕了。我嘴裡念了一聲：「驢打滾兒！」接過來，放在嘴裡。

我對宋媽說：

「我知道爲什麼叫驢打滾兒了，你家的驢在地上打個滾起來，屁股底下總有這麼一堆。」我提起一個給她看，「像驢糞球不？」

我是想逗宋媽笑的，但是她不笑，只說：

「吃罷！」

半個月過去，宋媽說，她跑遍了北京城的馬車行，也沒有一點點丫頭的影子。樹蔭底下聽不見馮村後坡上小栓子放牛的故事了；看不見宋媽手裡那一雙雙厚鞋底了；也不請爸爸給寫平安家信了。她總是把手上的銀鐲子轉來轉去的呆看著，沒有一句話。

冬天又來了，黃板兒牙又來了，宋媽把他擱在下房裡一整天，也不跟他說話。這是下雪的晚上，我們吃過晚飯擠在窗前看院子。宋媽把院子的電燈捻開，燈光照在白雪上，又平又亮。天空還在不斷的落著雪，一層層鋪上去。宋媽餵燕燕吃凍柿子，我念著國文上的那課叫做〈下雪〉的：

一片一片又一片，
兩片三片四五片，
六片七片八九片，
飛入蘆花都不見。

老師說，這是一個不會做詩的皇帝做的詩，最後一句還是他的臣子給接上去的。但是念起來很順嘴，很好聽。

媽媽在燈下做燕燕的紅緞子棉襖，棉花撕得小小的、薄薄的，一層層的鋪上去。媽媽說：

「把你當家的叫來，信是我請老爺偷著寫的，你跟他回去吧，明年生了兒子再回這兒來。是兒不死，是財不散，小栓子和丫頭子，活該命裡都不歸你，有什麼辦法！你不能打這兒起就不生養了！」

宋媽一聲不言語，媽媽又問：

「你瞧怎麼樣？」

宋媽這才說：

「也好，我回家跟他算賬去！」

爸爸和媽媽都笑了。

「這幾個孩子呢？」宋媽說。

「你還怕我虧待了他們嗎？」媽媽笑著說。

宋媽看著我說：

「你念書大了，可別欺侮弟弟呀！別淨給他跟你爸爸告狀，他小。」

弟弟已經倒在椅子上睡著了，他現在很淘氣，常常爬到桌子上翻我的書包。

宋媽把弟弟抱到床上去，她輕輕給弟弟脫鞋，怕驚醒了他。她歎口氣說：「明天早上看不見我，不定怎麼鬧。」她又對媽媽說：「這孩子脾氣強，叫老爺別動不動就打他；燕燕這兩天有點咳嗽，您還是拿鴨兒梨燉冰糖給她吃；英子的毛窩我帶回去做，有人上京就給捎了來；珠珠的襪子都該補了。還有……我看我還是……唉！」宋媽的話沒有說完，就不說了。

媽媽把摺子拿出來；叫爸爸念著，算了許多這錢那錢給她；她毫不在乎的接過錢，數也不數，笑得很慘：

「說走就走了！」

「早點睡覺吧，明天你還得起早。」媽媽說。

宋媽打開門看看天說。

「那年個；上京來的那天也是下著鵝毛大雪，一晃兒，四年了。」

她的那件紅棉襖，也早就拆了，舊棉花換了榧子兒，泡了梳頭用，面子和裡子給小栓子納鞋底用了。

「媽，宋媽回去還來不來了？」我躺在床上問媽媽。

媽媽擺手叫我小聲點兒，她怕我吵醒了弟弟，她輕輕的對我說：

「英子，她現在回去，也許到明年的下雪天又來了，抱著一個新的娃娃。」

「那時候她還要給我們家當奶媽吧？那您也再生一個小妹妹。」

「小孩子胡說！」媽媽擺著正經臉罵我。

「明天早上誰給我梳辮子？」我的頭髮又黃又短，很難梳，每天早上總是跳腳催著宋媽，她就要罵我：「催慣了，趕明兒要上花轎了也這麼催，多寒蠢！」

「明天早點兒起來，還可以趕著讓宋媽給你梳了辮子再走。」媽媽說。

天剛矇矇亮，我就醒了，聽見窗外沙沙的聲音，我忽然想起一件事，趕快起床下地跑到窗邊向外看，雪停了，乾樹枝上掛著雪，小驢拴在樹幹上，牠一動彈，樹枝上的雪就抖落下來，掉在驢背上。

我輕輕的穿上衣服出去，到下房找宋媽，她看我這樣早起來嚇一跳。我說：

「宋媽，給我梳辮子。」

她今天特別的和氣，不嘮叨我了。

小驢兒吃好了早點，黃板兒牙把牠牽到大門口，被褥一條條的搭在驢背上，好像一張沙發椅那麼厚，騎上去一定很舒服。

宋媽打點好了，她把一條毛線大圍巾包住頭，再在脖子上繞兩繞。她跟我說：

「我不叫醒你媽了，稀飯在火上燉著呢！英子，好好念書，你是大姐，要有個大姐樣兒。」說完她就盤腿坐在驢背上，那姿勢眞叫絕！

黃板兒牙拍了一下驢屁股，小驢兒朝前走，在厚厚雪地上印下一個個清楚的蹄印兒。黃板兒牙在後面跟著驢跑，嘴裡喊著：「得、得、得、得。」

驢脖子上套了一串小鈴鐺，在雪後新清的空氣裡，響得眞好聽。

爸爸的花兒落了

——我也不再是小孩子

新建的大禮堂裡，坐滿了人；我們畢業生坐在前八排，我又是坐在最前一排的中間位子上。我的襟上有一朵粉紅色的夾竹桃，是臨來時媽媽從院子裡摘下來給我別上的，她說：

「夾竹桃是你爸爸種的，戴著它，就像爸爸看見你上台一樣！」

爸爸病倒了，他住在醫院裡不能來。

昨天我去看爸爸，他的喉嚨腫脹著，聲音是低啞的。我告訴爸，行畢業典禮的時候，我代表全體同學領畢業證書，並且致謝詞。我問爸，能不能起來，參加我的畢業典禮？六年前他參加了我們學校的那次歡送畢業同學同樂會時，曾經要我好好用功，六年後也代表同學領畢業證書和致謝詞。今天，「六年後」到了，老師眞的選了我做這件事。

爸爸啞著嗓子，拉起我的手笑笑說：

「我怎麼能夠去？」

但是我說：

「爸爸，你不去，我很害怕，你在台底下，我上台說話就不發慌了。」

爸爸說：

「英子，不要怕，無論什麼困難的事，只要硬著頭皮去做，就闖過去了。」

「那麼爸不也可以硬著頭皮從床上起來，到我們學校去嗎？」

爸爸看著我，搖搖頭，不說話了。他把臉轉向牆那邊，舉起他的手，看那上面的指甲。然後，他又轉過臉來叮囑我：

「明天要早起，收拾好就到學校去，這是你在小學的最後一天了，可不能遲到啊！」

「我知道，爸爸。」

「沒有爸爸，你更要自己管自己，並且管弟弟和妹妹，你已經大了，是不是，英子？」

「是。」我雖然這麼答應了，但是覺得爸爸講的話很使我不舒服，自從六年前的那一次，我何曾再遲到過？

當我上一年級的時候，就有早晨賴在床上不起床的毛病。每天早晨醒來，看到陽光照到玻璃窗上了，我的心裡就是一陣愁：已經這麼晚了，等起來，洗臉，紮辮子，換制服，再到學校去，準又是一進教室被罰站在門邊，同學們的眼光，會一個個向你投過來，我雖然很懶惰，可也知道害羞呀！所以又愁又怕，每天都是懷著恐懼的心情，奔向學校去。最糟的是爸爸不許小孩子上學坐車的，他不管你晚不晚。

有一天，下大雨，我醒來就知道不早了，因爲爸爸已經在吃早點。我聽著，望著大雨，心裡愁得不得了。我上學不但要晚了，而且要被媽媽打扮得穿上肥大的夾襖（是在夏天！），和踢拖著不合適的油鞋，舉著一把大油紙傘，走向學校去！想到這麼不舒服的上學，我竟有勇氣賴在床上不起來了。

等一下，媽媽進來了。她看見我還沒有起床，嚇了一跳，催促著我，但是我皺緊了眉頭，低聲向媽哀求說：

「媽，今天晚了，我就不去上學了吧？」

媽媽就是做不了爸爸的主意，當她轉身出去，爸爸就進來了。他瘦瘦高高的，站在床前來，瞪著我：

「怎麼還不起來，快起！快起！」

「晚了！爸！」我硬著頭皮說。

「晚了也得去，怎麼可以逃學！起！」

一個字的命令最可怕，但是我怎麼啦！居然有勇氣不挪窩。

爸氣極了，一把把我從床上拖起來，我的眼淚就流出來了。爸左看右看，結果從桌上抄起雞毛撢子倒轉來拿，藤鞭子在空中一掄，就發出咻咻聲音，我挨打了！

爸把我從床頭打到床角，從床上打到床下，外面的雨聲混合著我的哭聲。我哭號，躲避，最後還是冒著大雨上學去了。我是一隻狼狽的小狗，被宋媽抱上了洋車——第一次花五大枚坐車去上學。

我坐在放下雨篷的洋車裡，一邊抽抽答答的哭著，一邊撩起褲腳來檢查我的傷痕。那一條條鼓起的鞭痕，是紅的，而且發著熱。我把褲腳向下拉了拉，遮蓋住最下面的一條傷痕，我怕同學恥笑我。

雖然遲到了，但是老師並沒有罰我站，這是因爲下雨天可以原諒的緣故。

老師教我們先靜默再讀書。坐直身子，手背在身後，閉上眼睛，靜靜的想五分鐘。老師說：想想看，你是不是聽爸媽和老師的話？昨天的功課有沒有做好？今天的功課全帶來了嗎？早晨跟爸媽有禮貌的告別了嗎？……我聽到這兒，鼻子抽答了一大下，幸好我的眼睛是閉著的，淚水不至於流出來。

正在靜默的當中，我的肩頭被拍了一下，急忙的睜開了眼，原來是老師站在我的位子邊。他用眼勢告訴我，教我向教室的窗外看去，我猛一轉頭看，是爸爸那瘦高的影子！

我剛安靜下來的心又害怕起來了！爸爲什麼追到學校來？爸爸點頭示意招我出去。我看看老師，徵求他的同意，老師也微笑的點點頭，表示答應我出去。

我走出了教室，站在爸面前。爸沒說什麼，打開了手中的包袱，拿出來的是我的花夾襖。他遞給我，看著我穿上，又拿出兩個銅子兒來給我。

後來怎麼樣了，我已經不記得，因爲那是六年以前的事了。只記得，從那以後，到今天，每天早晨我都是等待著校工開大鐵柵校門的學生之一。冬天的清晨站在校門前，戴著露出五個手指頭的那種手套，舉了一塊熱乎乎的烤白薯在吃著。夏天的早晨站在校門前，手裡舉著從花池裡摘下的玉簪花，送給親愛的韓老師，她教我唱歌跳舞。

啊！這樣的早晨，一年年都過去了，今天是我最後一天在這學校裡啦！

噹噹噹，鐘響了，畢業典禮就要開始。看外面的天，有點陰，我忽然想，爸爸會不會忽然從床上起來，給我送來花夾襖？我又想，爸爸的病幾時才能好？媽媽今早的眼睛爲什麼紅腫著？院裡大盆的石榴和夾竹桃今年爸爸都沒有給上麻渣，他爲了叔叔給日本人害死，急得吐血了，到了五月節，石榴花沒有開得那麼紅，那麼大。如果秋天來了，爸還要買那樣多的菊花，擺滿在我們的院子裡、廊簷下、客廳的花架上嗎？

爸是多麼喜歡花。

每天他下班回來，我們在門口等他，他把草帽推到頭後面抱起弟弟，經過自來水龍頭，拿起灌滿了水的噴水壺，唱著歌兒走到後院來。他回家來的第一件事就是澆花。那時太陽快要下去了，院子裡吹著涼爽的風，爸爸摘下一朵茉莉插到瘦雞妹妹的頭髮上。陳家的伯伯對爸爸說：「老林，你這樣喜歡花，所以你太太生了一堆女兒！」我有四個妹妹，只有兩個弟弟。我才十二歲。……

我爲什麼總想到這些呢？韓主任已經上台了，他很正經的說：

「各位同學都畢業了，就要離開上了六年的小學到中學去讀書，做了中學生就不是小孩子了，當你們回到小學來看老師的時候，我一定高興看你們都長高了，長大了……」

於是我唱了五年的驪歌，現在輪到同學們唱給我們送別：

「長亭外，古道邊，芳草碧連天。……問君此去幾時來，來時莫徘徊！天之涯，地之角，知交半零落，人生難得是歡聚，唯有別離多……」

我哭了，我們畢業生都哭了。我們是多麼喜歡長高了變成大人，我們又是多麼怕呢！當我們回到小學來的時候，無論長得多麼高，多麼大，老師！你們要永遠拿我當個孩子呀！

做大人，常常有人要我做大人。

宋媽臨回她的老家的時候說：

「英子，你大了，可不能跟弟弟再吵嘴！他還小。」

蘭姨娘跟著那個四眼狗上馬車的時候說：

「英子，你大了，可不能招你媽媽生氣了！」

蹲在草地裡的那個人說：

「等到你小學畢業了，長大了，我們看海去。」

雖然，這些人都隨著我長大沒了影子了。是跟著我失去的童年也一塊兒失去了嗎？

爸爸也不拿我當孩子了，他說：

「英子，去把這些錢寄給在日本讀書的陳叔叔。」

「爸爸！——」

「不要怕，英子，你要學做許多事，將來好幫著你媽媽。你最大。」

於是他數了錢，告訴我怎樣到東交民巷的正金銀行去寄這筆錢——到最裡面的檯子上去要一張寄款單，填上「金柒拾圓也」，寫上日本橫濱的地址，交給櫃檯裡的小日本兒！

我雖然很害怕，但是也得硬著頭皮去。——這是爸爸說的，無論什麼困難的事，祇要硬著頭皮去做，就闖過去了。

「闖練，闖練，英子。」我臨去時爸爸還這樣叮囑我。

我心情緊張的手裡捏緊一捲鈔票到銀行去。等到從最高台階的正金銀行出來，看著東交民巷街道中的花圃種滿了蒲公英，我高興的想：闖過來了，快回家去，告訴爸爸，並且要他明天在花池裡也種滿了蒲公英。

快回家去！快回家去！拿著剛發下來的小學畢業文憑——紅絲帶子繫著的白紙筒，催著自己，我好像怕趕不上什麼事情似的，爲什麼呀？

進了家門，靜悄悄的，四個妹妹和兩個弟弟都坐在院子裡的小板凳上，他們在玩沙土，旁邊的夾竹桃不知什麼時候垂下了好幾枝子，散散落落的很不像樣，是因爲爸爸今年沒有收拾它們——修剪、綑紮和施肥。

石榴樹大盆底下也有幾粒沒有長成的小石榴；我很生氣，問妹妹們：

「是誰把爸爸的石榴摘下來的？我要告訴爸爸去！」

妹妹們驚奇的睜大了眼，她們搖搖頭說：「是它們自己掉下來的。」
我撿起小青石榴。缺了一根手指頭的廚子老高從外面進來了，他說：
「大小姐，別說什麼告訴你爸爸了，你媽媽剛從醫院來了電話，叫你趕快去，你爸爸已經……」
他爲什麼不說下去了？我忽然著急起來，大聲喊著說：
「你說什麼？老高。」
「大小姐，到了醫院，好好兒勸勸你媽，這裡就數你大了！就數你大了！」
瘦雞妹妹還在搶燕燕的小玩意兒，弟弟把沙土灌進玻璃瓶裡。是的，這裡就數我大了，我是小小的大人。我對老高說：
「老高，我知道是什麼事了，我就去醫院。」我從來沒有過這樣的鎮定，這樣的安靜。
我把小學畢業文憑，放到書桌的抽屜裡，再出來，老高已經替我雇好了到醫院的車子。走過院子，看那垂落的夾竹桃。我默念著：

爸爸的花兒落了

我也不再是小孩子。

初版後記

民國四十年七月，我寫過一篇題名〈憶兒時〉的小稿，現在把它鈔錄在下面：

我的興趣很廣泛，也很平凡。我喜歡熱鬧怕寂寞，從小就愛往人群裡鑽。

記得小時在北平的夏天晚上，搬個小板凳擠在大人群裡聽鬼故事，越聽越怕，越怕越聽。猛一回頭，看見黑黝黝的夾竹桃花盆裡，小貓正在捉壁虎，不禁嚇得呀呀亂叫。但是把板凳往前挪挪，仍是慫恿大人講下去。

在我七、八歲的時候，北平有一種穿街繞巷的「唱話匣子的」，給我很深刻的印象。也是在夏季，每天晚飯後，抹抹嘴急忙跑到大門外去張望。先是賣晚香玉的來了；用晚香玉串成美麗的大花籃，一根長竹竿上掛著五、六隻，婦女們喜歡買來掛在臥室裡，晚上滿室生香。再過一會兒，「換電燈泡的」又過來了。他背著匣子，裡面全是新新舊舊的燈泡，貼幾個錢，拿家裡斷了絲的跟他換新的。到今天我還不明白，他拿了舊燈泡去做什麼用。然後，我最盼望的「唱話匣子的」來了，看見那人背著「話匣子」（後來改叫留聲機，現在要說電唱機了），提著勝利公司商標上那個狗聽留聲機的那種大喇叭。我就飛跑進家，一定要求母親叫他進來。母親被攪不過，總會依了我。只要母親一答應，我又拔腳飛跑出去，還沒跑出大門就大聲喊：

「唱話匣子的！別走！別走！」

其實那個唱話匣子的看見我跑進家去，當然就會在門口等著，不得到結果，他是不會走掉的。講價錢的時候，門口圍上一群街坊的小孩和老媽子。講好價錢進來，圍著的人就會捱捱蹭蹭的跟進來，北平話叫做「聽蹭兒」。我有時大大方方的全讓他們進來；有時討厭哪一個便推他出去，把大門砰的一關，好不威風！

唱話匣子的人，把那大喇叭按在匣子上，然後裝上百代公司的唱片。片子轉動了，先是那兩句開場白：「百代公司特請梅蘭芳老闆唱宇宙鋒」，金剛鑽的針頭在早該退休的唱片上摩擦出吱吱吖吖的聲音，滋滋啦啦的唱起來了；有時像貓叫，有時像破鑼。如果碰到新到的唱片，還要加價呢！不過因為熟主顧，最後總會饒上一片「洋人大笑」，還沒唱呢，大家就笑起來了，等到真正洋人大笑時，大夥兒更笑得兇，鬧哄哄的演出了皆大歡喜的「大團圓」結局。

母親時代的兒童教育和我們現代不同，比如媽媽那時候交給老媽子一塊錢（多麼有用的一塊錢！），叫她帶我們小孩子到「城南遊藝園」去，就可以消磨一整天和一整晚。沒有人說這是不合理的。因為那時候的母親並不注重「不要帶兒童到公共場所」的教條。

那時候的老媽子也真夠厲害，進了遊藝園就得由她安排，她愛聽張笑影的文明戲〈鋸碗丁〉、〈春阿氏〉，我就不能到大戲場裡聽雪艷琴的〈梅玉配〉。後來去熟了，膽子也大了，便找個題目——要兩大枚（兩個銅板）上廁所，溜出來到各處亂闖。看穿燕尾服的變戲法兒；看紮著長辮子的姑娘唱大鼓；看露天電影鄭小秋的《空谷蘭》。大戲場裡，男女分座（包廂例外），有時候觀眾在給「扔手巾把兒的」叫好，擺瓜子碟兒的、賣玉蘭花兒的、賣糖果的、要茶糖的，穿來穿去，吵吵鬧鬧，有時或許趕上一位發脾氣的觀眾老爺飛茶壺。戲台上這邊貼著戲報子，那邊貼著「奉廳諭：禁止怪聲叫好」的大字，但是看了反而使人嗓子眼兒癢癢，非喊兩聲「好」不過癮。

大戲總是最後散場，已經夜半，雇洋車回家，剛上車就睡著了。我不明白那時候的大人是什麼心理，已經十二點多了，還不許人家睡，坐在她們（母親或者老媽子）的身上，打著瞌睡，她們卻時時搖動你說：「別睡！快到家了！」後來我問母親，為什麼不許睏得要命的小孩睡覺？母親說，一則怕著涼，再則怕睡得魂兒回不了家。

多少年後，城南遊藝園改建成屠宰場，城南的繁華早已隨著首都的南遷而沒落了，偶然從那裡經過，便不勝今昔之感。這並非是眷戀昔日的熱鬧的生活，那時的社會習俗並不值得一提，只是因為那些事情都是在童年經歷的。那是真正的歡樂，無憂無慮，不折不扣的歡樂。

我記得寫上面這段小文的時候，便曾想：爲了回憶童年，使之永恆，我何不寫些故事，以我的童年爲背景呢！於是這幾年來，我陸續的完成了本書的這幾篇。這些故事不一定是眞的，但寫著它們的時候，人物卻不斷的湧現在我的眼前，斜著嘴笑的蘭姨娘、騎著小驢回老家的宋媽、不理我們小孩子的德先叔叔、椿樹胡同的瘋女人、井邊的小伴侶、藏在草堆裡小偷兒。讀者有沒有注意，每一段故事的結尾，裡面的主角都是離我而去，一直到最後的一篇〈爸爸的花兒落了〉，親愛的爸爸也去了，我的童年結束了。那時我十三歲，開始負起了不是小孩子所該負的責任。如果說一個人一生要分幾個段落的話，父親的死，是我生命中一個重要的段落。我在四十年父親節寫過一篇〈我父〉，仍是值得存錄在這裡的：

寫紀念父親文章，要回憶許多童年的事情，因為父親死去快二十年了，他棄我們姊弟七人而去的時候，我還是個小女孩。在我為文多年間，從來沒有一篇是專為父親而寫的，因為我知道如果寫到父親，總不免要觸及到他離開我們過早的悲痛記憶。

雖然我和父親相處的年代，遠比不了和一個朋友更長久；況且那些年代對於我，又都是屬於童年的，但我對於父親的了解和認識極深。他溺愛我，也鞭策我，更有過一些多麼不合理的事情表現他的專制，但是我也得原諒他與日俱增的壞脾氣，是因為他日漸衰弱的肺病身體。

父親實在不應當這樣早早離開人世。他是一個對工作認真努力，對生活有濃厚與趣的人，他的生活多麼豐富！他生性愛動，幾乎無所不好，好像世間有多少做不完的事情，等待他來動手，我想他對死是不甘心的。但是促成他的早死，多種的嗜好也有關係，他愛喝酒，快樂的划著拳；他愛打牌，到了週末，我們家總是高朋滿座。他是聰明的，什麼都下功夫研究。他肺病以後，對於醫藥也很有研究，家裡有一個五斗櫃的抽屜，就跟個小藥房似的。但是這種飲酒熬夜的生活，足以破壞任何醫藥的功效。我聽母親說，父親在日本做生意的時候，常到酒妓館林立的街坊，從黑夜飲到天明，一夜之間喝遍一條街，他太任性了！

母親的生產率夠高，平均三年生兩個，有人說我們姊妹多是因為父親愛花的緣故，這不過是迷信中的巧合，但父親愛花是真的。我有一個很明顯的記憶，便是父親常和挑擔賣花的講價錢，最後總是把整擔的花全買下。於是父親動手了，我們也興奮的忙起來，廊簷下大大小小花盆裡栽的花，父親好像特別喜歡文竹、含羞草、海棠、繡球和菊花。到了秋天，廊下客廳，擺滿了秋菊。

花事最盛是當我們的家住在虎坊橋的時候，院子裡有幾大盆出色的夾竹桃和石榴，都是經過父親用心培植的。每年他都親自給石榴樹下麻渣，要臭好幾天，但是等到中秋節，結的大石榴都飽滿的咧開了嘴！父親死後的第一年，石榴沒結好；第二年，死去好幾棵。喜歡附會迷信的人便說，它們隨父親俱去。其實，明明是我們對於剪枝施肥，沒盡到像父親那樣勤勞的緣故。

父親的脾氣儘管有時暴躁，他卻有更多的優點，他負責任的工作，努力求生存，熱心助人，不吝金錢。我們每一個孩子他都疼愛，我常常想，既然如此，他就應該好好保重自己的身體，使生命得以延長，看子女茁長成人，該是最快樂的事。但是好動的父親，卻不肯好好的養病。他既死不瞑目，我們也因為父親的死，童年美夢，頓然破碎。

在別人還需要照管的年齡，我已經負起許多父親的責任。我們努力度過難關，羞於向人伸出求援的手。每一個進步，都靠自己的力量，我以受人憐憫為恥。我也不喜歡受人恩惠，因為報答是負擔。父親的死，給我造成這一串倔強，細細想來，這些性格又何嘗不是承受於我那好強的父親呢！

童年在北平的那段生活，多半居住在城之南——舊日京華的所在地。父親好動到愛搬家，綠衣的郵差是報告哪裡有好房的主要人物。我們住過的椿樹胡同、新簾子胡同、虎坊橋、梁家園，淨是城南風光。

收集在這裡的幾篇故事，在時間上有點連貫性，讀者們別問我是眞是假，我只要讀者分享我一點緬懷童年的心情。每個人的童年不都是這樣的愚騃而神聖嗎？

四十九年七月

〈附錄〉宋媽沒有來

看了《城南舊事》這本書的讀者，對於我在裡面所寫的一個人物——宋媽，都有較深刻的印象，並且也喜歡她，甚至有讀者對我說：

「我家也有一個宋媽。」

更有一位朋友看完了書特意來告訴我：

「我們家的宋媽，現在還在我們家呢！」

說這些話的朋友，意思並不是指的他們的宋媽和我家的宋媽姓氏相同，而是以「宋媽」代表了北方傭婦的一種典型，看到宋媽，就會想起他們的張媽、王媽、李媽……。

我家的宋媽，其實也不姓宋，爲了寫小說，我給她換了一個姓，我們一直都是叫她「奶媽」，因爲她是我弟弟的奶媽。她心疼我的弟弟，甚於我們的母親。有一年，她從天津來，那時父親已經去世，弟弟七歲。冬季弟弟有凍手凍耳朵的毛病，宋媽一看見弟弟的手，就拉到母親的面前，指著紅腫的手，不樂意的、帶著責備的口氣說：

「您看看，手凍得這樣兒，也不說天天想著給燙燙熱水！」

她那次是隨著天津的主母來北平玩的，當然要來我家看看，誰知要走時，弟弟竟不放她，拉著她的衣服，哭得很傷心，宋媽也不忍心甩開弟弟走掉，便對母親說，帶弟弟到天津去玩幾天好了，母親說，你的主母怎麼肯呢？宋媽認爲她現在的主母和母親都是朋友，何況宋媽去天津這家做事，也是母親介紹的。宋媽便帶著弟弟走了，但是過了一會兒，就送了回來，果然是宋媽帶弟弟到了旅館，向她的主母說明情形，她的主母就是不肯。

《城南舊事》全書的五篇中，倒有四篇裡有宋媽，而且有一篇〈驢打滾兒〉是專門爲宋媽寫的，是說宋媽因爲丈夫沒出息，所以不肯隨他回家去。後來自己子女都死了、丟了，她最後不得已還是騎著驢，跟著丈夫回老家去了。其實自從宋媽初來我家，到我們離開北平的二十幾年間，她雖沒有全部在我們家，可是一直沒有斷過聯絡，就是在北平最後的一年前，她還是在我家的，那時我生第三個孩子咪咪，寫信把她從鄉下叫到我的身邊來。

在北平我們的家，小方院當中，有一棵大槐樹，夏季正是一個天然的天棚覆蓋全院；大的孩子在樹蔭下玩沙箱，奶媽抱著咪咪坐在臨街的門檻兒上「賣呆兒」，我伏在書桌上，迎著樹影婆娑的碧紗窗前書寫，只聽見振筆疾書的沙沙聲。寂靜的下午，常常是在這種環境下度過。

奶媽的家鄉是京北順義縣的牛郎山，她的丈夫常常騎著小驢來北平，我還是小孩子的時候，就熟悉他的這種交通工具。驢背上常常負著有燒酒、醉棗、掛落棗兒、各樣豆子，都是帶給主人的各種土產。不過這也是遠年的事了，後來總是小毛驢只載著那位黃板兒牙和滿身黃土泥的鄉下佬，好像是牛郎山成了不毛之地，反而是每次奶媽要交給他更多的錢，因爲鄉下的生活日益艱苦。而且「八路」已經光臨到牛郎山了。

有一次，他照例是在三個月之後又來了，小毛驢拴在槐樹旁，他就跑出去找鄉親，據說牛郎山已經展開了「鬥爭」，他的房東是當地的保長，正在被清算。他此來的任務是找回保長的兒子，保長的命才能保住。

晚上，我家的飯廳成了鄉下佬的會客室，保長的兒子找來了，是一個青年軍。當宋媽的丈夫把這青年的父親的現況講給他聽以後，我只聽見這青年很堅決的說：

「我說什麼也不回家，哼！他們想把我哄回去嗎？我知道，我就是回去了，也沒好死兒！大爺，您就說沒找著我得了。」

「那你爹呢？」

「我爹？」青年黯然，「我們爺兒倆死一個還不夠？我爹跟您說什麼來著嗎？」

「他說，你不回去也好。可是他們跟你爹要人，非叫我來找，我也不能不來一趟。」

「那我知道，全仗大爺給圓謊啦！」

宋媽的丈夫任務已畢，第二天牽著小驢回鄉了。再下一次來，宋媽突然向我辭工，也是說「八路」向她丈夫要人。她向我解釋說：

「也是因爲家裡沒人看家，他常常得給八路上山扛活兒去，家裡就剩兩個孩子。還有一樣，現在清算了，像我們算是窮人，一個人可以分五畝地。我不回家，怎麼能有地分給我們呢？」

每人五畝地！這對宋媽是個美麗的風景，她在外面掙了一、二十年，也掙不了五畝地呀！何況這一下子就是二十畝呢？

我呢？除了感到再找人的困難以外，倒也替她高興，因爲她大兒大女都沒有了，家裡只有兩個老生兒子，不久以前她還夢見兒子掉在河裡，可見她離開家心是不安的，實在她是不應當再出來掙錢了。因此我就答應了她。

但我忽然想起來一件事，問宋媽：
「上次那個保長怎麼樣了？」
「保長嗎？啊，死啦！家裡人都給弄死了，就剩下一個瞎老太太，還不許她住自己的房子。」
宋媽無論到天津工作、回家鄉生兒子，她總有一兩口大箱子留在我家，這是她年年掙下的家當。這一次她仍然沒帶回去，只是空身隨了丈夫回去的。以前她不帶回去，是因爲怕沒出息的丈夫把她苦掙的家當給敗了。這一番卻不同了，我明白，她既是以「窮人」的身分回去，當然不能衣錦還鄉，越窮越好。
第二天天剛亮他們就動身了，照例的，她是在我睡房的窗外喊我一聲：「大小姐，我走了。」我起來關街門，望著他們的背影看不見才回來，院裡槐樹旁留著一大堆驢糞，心裡不知想什麼，站在院裡發愣，打了一個噴嚏，才覺得身上冷，這正是北平中秋節過的棗核兒天兒——早晚兒涼！
過了三個月的一天晚上，外面冷風刺骨，颳著西北風，我們躲在房裡煮熱湯麵吃。這時外面叫門，等一會兒，房門推開來，一個人進來了。
「啊！是宋媽！」
但是她的憔悴的樣子嚇住我了，這是想不到的事，只有三個月，宋媽好像老了十年。她進來，帶來了一股涼氣，我趕忙說：

「宋媽，快來吃湯麵，暖和暖和。」

「你們吃麵呀！大小姐，我煮點兒飯吃吧，我三個月沒吃米飯啦！就是想碗飯吃！」

宋媽邊吃飯，邊告訴我她回家這三個月的苦不堪言的生活，每天晚上要逃到田地裡去睡，太辛苦了，所以老得成了這樣子。

「爲什麼非要到地裡去睡呢？」我問。

「晚上國軍常來，大家都得逃到地裡睡覺。」

「你們不是解放了嗎？怎麼還有國軍？」

「不是處處都解放呀！這個村子解放，那個村子也許沒解放。沒解放那頭兒的國軍，其實都是這頭兒被清算鬥爭逃過去的，他們到晚上再回本村子來打八路！」

「既然原來是本村的人，你們何必躲呢？他們打得是八路，又不是你們。」我不明白。

「可是我們要不跟著逃，八路以爲我們是跟國軍通氣兒的哪！只好跟著往地裡躲。」

這種冬臘三九天，每天要在曠野的田裡度夜，和我們坐在溫暖的屋裡相比，眞不啻是天壤之別，無怪她要老了十年。我們問她這一趟是幹什麼來了，她說要在她存在我這裡的箱子裡，拿兩件棉衣服穿。同時人家託買些東西。

看她盛到第三碗飯，我忽然想起來了：

「宋媽，你們一個人的五畝地呢？」

她很痛苦的說：

「地？地有的是，就怕沒人種，有錢的逃光了，年輕的逃光了，剩下有用的還得幫著八路做事，誰還有工夫種地呢？」

「有錢人的東西你們不是也可以分嗎？」我聽說鄉下是這樣共產的。

「我們分是分了，有桌子、櫃子，可是用不著，也沒處擺呀！放在院子裡，風吹日曬全散了，我們就劈了劈全當柴火燒了！」

她又盛第四碗飯吃，並且說：

「大小姐，你跟大姑爺要是能給孩子他爹找事，我們就打算全家逃出來。」

「怎麼逃呀？」嚇了我一跳。

「家裡扔下全不要了，光身出來，繞小道走。——這日子實在太苦了。」

五畝地的美夢已經破了，那原是一個騙局啊！

我沒有說話，看她盛第五碗飯吃。全家光身逃出來，在這物價直線上升的時候，我實在沒有勇氣擔保下來。

第二天，她悵然的走了，向我要走了家中所有的火柴、食鹽、棉線、煤油、香油、擦臉油、白糖……都是鄉下買不到的。她是在沙漠裡生活嗎？

這一走，我再沒有機會見到宋媽。轉過年的十月底，我們就離開北平了，宋媽的衣箱存在三妹家。來到台灣後，接到三妹的信，她信上說：

　　我離開北平以前，曾寫信叫宋媽來給我拆洗被褥，她知道你們回台灣羨慕得很，她說她早知道的話，一定會跟了你去……

宋媽沒有來，她來了會很習慣的，她因為在我家多年，和在天津的那個人家，所以可以全部聽懂閩南話，並且能說一些。然而即使宋媽來了，難道我就能不想念什麼了嗎？

三妹自北平到上海後曾來過一封信，以後也杳無消息。我很怕想起三妹，也怕想起宋媽，以及任何在遙遠北方的我的親友，我所度過的許多黃沙蔽日，或者一覽晴空的日子，因此不要再寫下去了吧！

五十一年二月

〈附錄〉

童心愚騃

——回憶寫《城南舊事》

《人間》的編輯先生告訴我，中共的上海電影製片廠將我的小說《城南舊事》拍成電影，參加馬尼拉的第二屆國際影展，外電報導，該片已獲本屆的最佳影片獎云云；編輯先生要我寫點兒什麼，略抒感懷，這倒使我不知從何說起了。

早在半年前，大陸的親友就輾轉傳來消息說，中共擬將我的《城南舊事》拍成電影，起先沒太注意，因爲消息簡單，以爲說說罷了。後來便不斷有了具體的報導，是眞的在拍電影了。到了去年的十二月，他們正式向海外發布消息，第一個回合說，這部與小說同名的電影將參加馬尼拉第二屆國際影展，第二個回合就是「稿費待領」，叫我去領稿費。而每次談到原著，總要強調的說明這是台灣女作家的作品，並且把我的身世履歷詳細說一遍；這就是所謂的「統戰」吧！咱們這兒嘛，一字不登，豈非「反統戰」？倒是自去年十二月以來，海外的朋友無論識與不識，不斷從香港、美國、馬尼拉，給我寄了剪報來，甚至有一位不認識的讀者，在美國隨夫到大陸講學探親，在親戚家看到電視正播放預告片，便趕緊拿出錄音機，錄下部分對話放給我聽。

我的寫作不是很多，《城南舊事》是我心愛的作品。二十多年來，銷了十幾版。四十九年的初版，是由天主教的光啓出版社印行，印到第二版便有了滯銷的現象，我問那時該社的主持人顧保鵠神父，他們是否還有興趣出下去？如果沒興趣的話，可不可以將紙型等價讓給我，顧神父非常幫忙，答應了我的請求，於是《城南舊事》便跳槽到我自己的純文學出版社來了。初版既是在四十九年出版的，我的寫作當然是在這以前了，應當是四分之一世紀前的作品，內容卻是半個世紀前的故事。

《城南舊事》是一本小說集，內容包括了五個故事，背景是民國十二年到十八年的北平，就是我讀小學六年的時間。五個故事各成單元，是以一個兒童在六年的成長期間——從要進小學到畢業——用兒童的口吻寫出她所看見的成人世界的故事。我家的成員雖一一進入我的筆下——我的父母，陸續出生的我的弟弟、妹妹，但都不是故事的主角，只有一個宋媽（實際是我弟弟的奶媽），倒有一篇〈驢打滾兒〉

是專寫她的故事。宋媽和我的家人一樣，每篇故事都有她出現。

宋媽是典型的北方家庭裡忠實的僕婦，聽說中共為拍此片還設法想找出宋媽來，宋媽如果活著，已經八十多歲，她後來雖然返回鄉下又生了兩個兒子，但是和我家一直沒斷聯絡。記得民國三十五、六年的時候，一個冬日的夜晚，宋媽忽然來到我家，我那時已經是三個孩子的母親了。她進門後，撲打著滿身的灰塵，頭臉也是被冬日冷風吹得粗糙乾皺，她一面走到火爐邊搓著手，一面對我說：「大小姐，家裡還有白米飯不？我很想吃呢，我可有些日子沒吃白米飯了。」她說她這次來，是要買些日用品火柴等，鄉下都沒有。她又說，鄉下來了共產黨，日子更難過，常常要躲到田裡，有錢人家的家具，都被人或自家劈了當柴火燒了，過的日子可以想見。因此她存在我家的一口箱子也不擬拿回鄉下。到了我們返回台灣後，妹妹曾寫信叫她到北平取走箱子，聽說她來了後，埋怨妹妹說，為什麼不早告訴她，她多麼想跟我們到台灣來。

中共對於《城南舊事》的故事，總是強調作者是為了「表現普通勞動人民的不幸遭遇」啦！「北洋軍閥時代人民的苦況」啦！（從上面宋媽想到台灣來，可見那個新社會使她的生活更慘。）其實我不是為這些寫的，我寫東西從不「政治掛帥」，也不高喊「革命」，這部小說我是以愚騃童心的眼光寫些記憶深刻的人物和故事，有的有趣，有的感人，眞眞假假，卻著實的把那時代的生活形態，例如北平的大街小巷、日常用物、城牆駱駝、富連成學戲的孩子、撿煤核的、換洋火的、橫胡同、井窩子……都在無意中進入我的小說。我喜歡描寫女人和孩子，我喜歡寫婚姻的衝突、新舊時代的戀愛。我是女人嘛，當然喜歡寫這些，也有能力寫這些，可別把偏差的想法投在我的作品上。

吾友潘人木曾自美寫信並寄剪報來，她的看法跟我正是一樣，大陸所以選《城南舊事》拍電影，一方面固然是如大家所說的「向台灣統戰」，一方面他們也實在缺乏可拍電影的故事，試想三十幾年來，作家的頭腦、思想都僵硬在政治掛帥、文化革命上，文學、戲劇都是「樣板」式，一旦想突破，想找描寫人性的感人故事，實在找不出，也寫不出。而且相信民心方面的需要，也正如聽鄧麗君的柔和的歌聲一樣，再不是掄胳臂、握拳頭的高吼，在文學上也是注重善良的一面吧。

因此我以爲，大陸應恢復對人性的關懷，則正如孫運璿先生曾說過的，想統一中國，要在眞正民主自由的三民主義之下，而不是共產主義了。

七十二年二月六日

國家圖書館出版品預行編目資料

城南舊事／林海音文

初版，——臺北市：遊目族文化出版；城邦文化發行，2000〔民89〕

面：　　公分——（林海音作品集）

ISBN 957-745-299-X（精裝）．ISBN 957-745-300-7（平裝）

857.7　　　　89003547

〈林海音作品集2〉

城南舊事

文／林海音
策劃／王開平
責任編輯／張玲玲、杜晴惠、張文玉
美術編輯／林意玲
封面設計／沈月蓮
出版者／遊目族文化事業有限公司
編輯所／台北市新生南路二段20號6樓
電話／(02)2351-7251
傳眞／(02)2351-7244
發行／城邦文化事業股份有限公司
地址／台北市民生東路二段141號2樓
電話／(02)2500-0888　傳眞／(02)2500-1938
讀者服務專線／(02)2500-7397　讀者訂閱傳眞／(02)2500-1990
郵撥帳號／18966004　城邦文化事業股份有限公司
網址／www.cite.com.tw
香港發行所／城邦（香港）出版集團有限公司
地址／香港北角英皇道310號雲華大廈4字樓，504室
電話／852-25086231　傳眞／852-25789337
E-Mail／citehk@hknet.com
馬新發行所／城邦（馬新）出版集團 Cite (M) Sdn. Bhd. (458372 U)
地址／11, Jalan 30D/146, Desa Tasik, Sungai Besi,
57000 Kuala Lumpur, Malaysia
電話／603-90563833　傳眞／603-90562833
二〇〇〇年五月初版一刷　二〇〇四年六月七刷
ISBN／957-745-299-X（精裝）957-745-300-7（平裝）
定價／三〇〇元（精裝）二〇〇元（平裝）
感謝財團法人國家文化藝術基金會贊助出版

財團法人|國家文化藝術|基金會
National Culture and Arts Foundation